GRANDES MEXICANOS ILUSTRES

SIQUEIROS

Maite Hernández

DASTIN, S.L.

© DASTIN, S.L.
Polígono Industrial Európolis, calle M, 9
28230 Las Rozas - Madrid (España)
Tel: + (34) 916 375 254
Fax: + (34) 916 361 256
e-mail: info@dastin.es
www.dastin.es

Edición Especial para:
**EDICIONES Y DISTRIBUCIONES
PROMO LIBRO, S.A. DE C.V.**

I.S.B.N.: 84-492-0331-7
Depósito legal: M-15.914-2003
Coordinación de la colección: Raquel Gómez

Impreso en España - Printed in Spain

A MODO DE PRÓLOGO

S ABER si los años transcurrieron a lo largo de la vida de Siqueiros o si Siqueiros transcurrió en cada año de la vida, es un misterio tan oculto como el mismo impulso que llevaba al artista a brotar en cólera ante una injusticia social o a pintar un *Ramos de rosas que no se marchitarán jamás*, para su esposa Angélica.

Siqueiros fue un hombre de su tiempo. Su condición era la de un hombre moderno, rebelde, pero al mismo tiempo entregado a la causa de una fe revolucionaria que negaba otras vías que no fueran las que compartía con sus camaradas. Hoy nos toca mirarlo desde sus tres personalidades: la de artista, la de militante comunista y la de soldado. ¿Cómo entender las relaciones entre ellas, y entre éstas y los demás hombres de su tiempo?

Resulta imposible separar al Siqueiros revolucionador, genial, cuya entrega a la pasión ideológica lo vuelve contra su misma naturaleza artística, de un Siqueiros cuya naturaleza artística lo empuja por momentos hacia los caminos de un idealismo que nubla la sensibilidad y la razón crítica.

Hablar de Siqueiros es evocar al hombre comprometido con su tiempo; al personaje de carácter indómito y violento; al militante y activista político; a «El Coronelazo», que bajó del andamio para participar en dos contiendas militares: la Revolución Mexicana y la Guerra Civil Española.

Múltiple y contradictorio, Siqueiros es también político, pero un político afanoso por convertirse en ejemplo y guía de quienes militan en su bando, un político que siempre tiene la razón y no admite censuras. Cuando las recibe se vuelve contra ellas, esgrime argumentos, razona infatigablemente. Hay en el fondo de su alma una razón para justificar también cada una de sus emociones. En este terreno Siqueiros es el artista que no permite que se toque su obra acabada, y esa obra, bien lo sabemos, es él mismo.

A causa de la influencia de su abuelo —soldado jaurista— las huelgas en la Preparatoria, el Dr. Atl y la Revolución, Siqueiros llegó al inconformismo antes de asimilar la academia. Pero su extraordinario vigor creativo, libre de ataduras escolásticas, no tuvo que superar influencias o romper ligamentos; sobre la marcha, con agilidad intelectual que superaba rápidamente muchas lagunas y era capaz de innovar con técnicas nunca antes empleadas, fue asimilando lo que quiso, o lo que pudo, para aventurarse siempre hacia lo desconocido.

Hablar de Siqueiros supone también recordar al gran pintor que, junto con Diego Rivera, José Clemente Orozco y su maestro, el Dr. Atl, crearon el movimiento muralista mexicano que le dio al arte de este país un nuevo rostro.

Su pasión por lo auténticamente nuevo jamás conoció la saciedad. Artista experimental, renovador que siempre apostó por una nueva concepción del arte y de las técnicas pictóricas; teórico e investigador, creador incansable de propuestas a la vanguardia de su tiempo; visionario de las nuevas tecnologías, nuevos sistemas, nuevos instrumentos, nuevos materiales aplicados al arte. Su pintura llegó a adquirir amplios dotes de dinamismo, al grado de producir vértigo en el espectador. Esa pasión llegó a tiranizarlo, haciéndole olvidar, por momentos, sus impulsos humanistas, sumiéndolo en las búsquedas puramente formales que él había sido el primero en combatir. Sin embargo, nunca dejó de ser el hombre que soñó con un arte público moderno e integrador de todas las expresiones plásticas.

Si elaboramos una cronología, atendiendo año con año de su vida, nos encontraremos con una carga de acontecimientos que van desde lo anecdótico hasta lo histórico. Siqueiros no sólo recreó una cultura a partir de su obra, sino que la vivió, la experimentó, la sufrió. Se involucró hasta la sangre en la Historia misma.

Lo que se expone aquí es una biografía, un cúmulo de datos ordenados que podrían pertenecer a un solo hombre, pero no es así, estos datos pertenecen también a una nación, a su historia, a la pintura en sí y al desarrollo de la misma. Hablamos de un hombre que no sólo participó en la transformación de su patria, sino que colaboró con su creatividad y experimentación en la transformación del arte mundial.

Este libro lo hemos dividido en dos partes, la primera: sustancial y rica, cargada de datos históricos y obra pictórica, dedicada a su vida; la segunda, que no por menor en extensión, lo es en contenido, en donde nos adentramos y planteamos los descubrimientos e innovaciones más importantes que realizó el Maestro en el campo de la plástica. Iniciemos pues.

Siqueiros: el sitio donde la pintura y política se abrazan

LO hemos mencionado antes, la multiplicidad de su personalidad: pintor polémico, activista político, luchador social incansable, dogmático hasta lo irracional —baste recordar su célebre frase «*no hay más ruta que la nuestra*»—, hace de este personaje el modelo del artista-militante del México posrevolucionario, quien, convencido de que la función del arte es servir a las causas político-sociales, representó en su obra temas de dinámica revolucionaria para alentar a las clases sociales más desfavorecidas.

Siqueiros era consciente de que su vida era dominada por dos pasiones: el activismo político y la creación artística. Y bajo la firme creencia de que el arte debía ser una herramienta política —«el arte transforma al ser humano por lo que dice, pero especialmente por cómo lo dice»—, un vehículo del pensamiento social revolucionario, y de que la obligación de todos los artistas era despertar la conciencia social a través de sus creaciones plásticas, plasma en sus murales la franqueza de sus convicciones. El arte tenía una misión política que cumplir: debía anunciar al pueblo sus derechos sociales y guiarlos ideológica-

9

mente en su lucha por una mejor vida, libre de injusticias y sometimiento. Siqueiros lo expresó claramente en su artículo «La crítica del arte como pretexto literario», publicado en 1948 en la revista *México en el Arte*:

«El arte no es un fenómeno autónomo, un fenómeno que se genera solo y flota después solo en el espacio de la sociedad y la vida, sino algo que surge de la plataforma misma del mundo y del hombre; algo que partiendo de la sociedad de un determinado periodo histórico —cuando es arte que aporta— se anticipa al periodo subsiguiente y expresa siempre las características generales de la sociedad en la que actúa y de aquella para la cual opera por anticipado.»

A partir de su ingreso en el Partido Comunista Mexicano (1923) Siqueiros se postuló como la voz del proletariado y participó activamente en agrupaciones de filiación comunista. La pintura de Siqueiros actuará entonces en torno a esas ideas: crítica a la sociedad capitalista y defensa de los ideales comunistas. La temática dominante de su obra pública será, a partir de ese momento, la representación de las luchas populares para liberarse de las diferentes formas de tiranía: latifundismo, imperialismo, fascismo, capitalismo, dictadura.

Su tema central fue invariablemente la Revolución —obrera, campesina, sindical, mexicana o mundial—, y su protagonista (héroe o víctima), el Pueblo; éste siempre caracterizado como la masa de obreros y campesinos, es decir, la clase trabajadora. Para Siqueiros el arte cumplirá su función social en la medida en que los asuntos representados hablen de la liberación de los grupos oprimidos. Pero su mundo era uno de cruel realismo y fantasmagoría; en él se representaba también la visión del artista, cargada de escenas violentas, de muerte, tortura y guerra.

El lenguaje plástico que usa Siqueiros apoya sus convicciones políticas. El dinamismo de las figuras establece un paralelismo con el ritmo del movimiento social, hacia adelante, incontenible. Así mismo, la enormidad de sus murales, los colores fuertes y contrastados y los múltiples puntos de vista desde los que son vistos los objetos en las escenas, involucran al espectador, obligándolo no sólo a ver, a mirar a través de los ojos de pintar, sino a ponerse en movimiento y, al ritmo en el que marchan sus soldados y obreros, el pueblo entero actuará.

PRIMERA PARTE
Vida y obra de David Alfaro Siqueiros
1896-1974

CAPÍTULO PRIMERO

— 1896: NACE EL GENIO EN MEDIO
DEL DESCONTENTO SOCIAL —

*«Sin la Revolución no hubiera existido
la pintura mexicana moderna».*

COMO lo hemos mencionado antes, hablar de Siqueiros es hablar de sus circunstancias históricas. Desde la cuna estaría marcado por los diversos movimientos sociales que venían sucediendo desde mediados del siglo XIX. Su abuelo, quien le heredaría a Siqueiros el carácter recio de un militar, ya había luchado junto a las tropas del legendario presidente de raíces indígenas don Benito Juárez. En una constante lucha por el poder, después de medio siglo de independencia política y económica, la silla presidencial parecía pasar de un bando a otro; hasta que un campesino del sur, también de raíces indígenas, tomaría el poder de manera dictatorial, durante los siguientes treinta y cuatro años. Éste será el contexto en el que ve por primera vez la luz este pintor de alma revolucionaria.

Por aquellos días, la silla presidencial estaba ocupada por el carismático Don Porfirio Díaz, quién había ocupado el cargo en dos ocasiones anteriores, una tras el mandato de Lerdo de Tejada (sucesor del presidente Benito Juárez), en el año 1876, y otra al ser sucesor de Méndez, entre 1877 y 1880, permaneciendo en el cargo durante treinta y cuatro años, hasta 1911. Para lograr la reelección indefinida y ese tan prolongado mandato, Díaz necesitó modificar la Constitución de 1890.

Dos años después de la última toma de posesión del general Díaz, el 8 de diciembre de 1886, nació Diego María Concepción Juan Nepomuceno Estanislao de la Rivera y Barrientos Acosta y Rodríguez en la ciudad de Guanajuato, México. La vida paralela de este gran muralista mexicano, contemporáneo a Siqueiros, transcurrió de igual manera en medio de un contexto social agitado. No sólo el paralelismo nos lleva a hablar de Rivera en estas páginas, será también la gran amistad y la conjunta gestación del arte moderno mexicano lo que nos obliga a mencionar su vida en ciertos instantes.

Ya en su primer puesto en el poder, el general Díaz ya había dado muestras de su personal modo de entender la política presidencialista, cuando depuso a su antecesor mediante un golpe de Estado. El dictador nunca intentó ocultar la verdadera naturaleza de su totalitarismo, y su peculiar forma de dirigir los asuntos de la nación hizo que a su periodo en el poder se le conociera con el nombre de «porfirismo».

Cabe decir que durante el porfirismo se lograron grandes avances; el progreso en relación a la infraestructura de comunicaciones fue tan atinado que muchas de las rutas ferroviarias continúan funcionando hasta nuestros días. Y aun cuando parece contradictorio, se trabajó por la conciliación de los partidos, sin que ello implicara dejar la represión contra todo opositor a su voluntad. Suprimió las libertades individuales, instauró una severa censura a la libre expresión y a la Prensa sólo se le permitió hablar de paz y de orden.

Si bien Porfirio Díaz provenía de una familia humilde y había sido víctima de la pobreza y explotación de los grandes hacendados, durante su mandato pareció olvidar sus raíces. Su tendencia a mirar hacia el norte y entregar sin condiciones la industria nacional a las empresas estadounidenses y recurrir a un estilo afrancesado, muy lejano de la realidad del pueblo, en su mayoría campesino, llevó a los trabajadores humildes del país a una situación desesperada. Los campesinos realizaron las primeras protestas en contra de la explotación agraria y la expropiación fraudulenta de las tierras comunes.

Favoreció a la burguesía, a los grandes terratenientes y latifundistas e hizo que los campesinos se vieran obligados a someterse a duras condiciones de miseria y ausencia total de derechos, si querían sobrevivir.

La política de Díaz se justificaba ante un supuesto pueblo que, sin preparación ni educación, requería de un gobierno fuerte y bien organizado. Si es cierto que la mano dura del porfirismo pacificó al país, impulsó el auge económico y logró la modernización de la hacienda pública, esa misma mano fue la que levantó al pueblo en armas en la búsqueda de todos aquellos derechos perdidos durante los treinta y cuatro años de dictadura.

Una de las más grandes equivocaciones cometidas por el gobierno iba a ser la proclamación de la llamada «ley de baldíos», que exigía que todas las tierras que habían pertenecido a comunidades y que se hallaban sin dueño fueran ocupadas por las compañías extranjeras deslindadoras. Al final acumularon hectáreas y hectáreas de terreno fértil.

En los estados del norte, como Coahuila, Chihuahua o Sonora, el latifundismo conoció un auge sin límites. Los peones se veían explotados hasta extremos inconcebibles; los patrones les vendían productos básicos a crédito, de tal manera que se iban cobrando a base de trabajo de forma perpetua.

Dichas deudas eran además heredables y pasaban de padres a hijos o de maridos a esposas.

La industria siguió su camino de prosperidad y en zonas como las de Monterrey y Orizaba florecían empresas tabacaleras, textiles, fundidoras o cerveceras a base de inversión masiva de capital extranjero. El México de aquellos tiempos era una paradójica mezcla de progreso industrial y mercantil, económico y comercial, junto a una desproporcionada injusticia agraria.

Porfirio Díaz no tenía adversario alguno en el campo político ni militar. El centralismo aplicado a través de relaciones personales con los gobernadores de cada estado (todos ellos incondicionales suyos), el control que éstos ejercían sobre los jefes políticos municipales y un ejército perfectamente armado y disciplinado, completaron una maquinaria de mando perfecta, capaz de disolver cualquier levantamiento, como se demostró en Tebabiate y Cajeme cuando los indígenas yanquis, después de una rebelión, fueron fácilmente sofocados, o en la mina de Cananea, en Sonora (también explotada por empresas extranjeras), cuando los trabajadores se declararon en huelga general contra los propietarios. En ese caso concreto, la fuerza militar entró en acción, y los principales dirigentes de esa huelga, Manuel M. Diéguez y Juan de Dios Bojóquez, fueron conducidos a la prisión de San Juan de Ulúa.

En 1896, dos años antes del nacimiento de Siqueiros, Diego Rivera se trasladó a la capital mexicana con su familia y contando con tan sólo diez años de edad, obtuvo una beca del Gobierno para ingresar en la Academia de Bellas Artes de San Carlos, en la que permaneció hasta su expulsión en 1902, por haber participado en las revueltas estudiantiles de aquel año.

Capítulo II

— Entre la rectitud de Don Cipriano y el látigo de Siete Filos —

Entre la brocha y la pistola
no hay diferencia alguna...
si con ellas se hace justicia.

AVID Alfaro Siqueiros, quien se diera a conocer de manera artística bajo el apellido materno, nació el 29 de diciembre de 1896 en la ciudad de Santa Rosalía, hoy Camargo, Chihuahua, en medio de una particular situación política que marcaría su temple revolucionario.

Su padre fue el abogado Cipriano Alfaro Palomino, hombre leal al presidente Díaz, pulcro, recto y sumamente religioso, al grado del misticismo, quien «hacía —según palabras del artista— cumplir con los deberes religiosos de toda una vida en unos cuantos meses». Su madre, Teresa Siqueiros Bárcenas, fue educada en un entorno mucho menos opresor, propio de las familias del norte del país; creció en un medio recio, de constantes levantamientos que darían origen al movimiento revolucionario. Se dice que el hecho de ser desaprensiva de sus deberes religiosos, le causó problemas en su vida conyugal.

Fue bautizado con el nombre José David. En 1898, a los dos años de edad, quedó huérfano de madre; él, su hermana mayor, Luz, y hermano menor, Jesús, fueron a vivir con sus abuelos paternos, Antonio y Eusebia, a la ciudad de Irapuato, Guanajuato. Su abuelo Antonio Alfaro Sierras, que fue guerrillero mexicano durante la época juarista y apodado «Siete Filos» debido a su recio carácter, era, al contrario que su hijo Cipriano, un hombre ateo, hercúleo, borracho y diestro en el uso del látigo, ya fuera contra las bestias o contra aquel que se pusiera enfrente.

Siqueiros lo recordó hasta su muerte con toda la fuerza de su alma apasionada. Le gustaba aquel viejo vestido de *chinaco* tan distinto a su padre. El *Siete Filos* representaba el campo, los gritos, el peligro, la audacia, la piel quemada en el trabajo.

Su abuela Eusebia era, en cierta forma, el contrapunto del *Siete Filos*. Una mujer que colmaba a sus nietos de mimos y caricias. Por las mañanas, antes de que éstos se marcharan a la escuela, la abuela les daba la bendición y los besaba. Una mañana, al despedirse de su abuela en la cama, David fue testigo de su mirada perdida en la muerte.

La escena del velorio con rezos dolientes, las mujeres llorando, la abuela en la caja, su abuelo borracho maldiciendo a todo ser humano o poder divino, formó parte del arsenal de momentos que se grabaron en sus recuerdos.

En 1907, después de los nueve días de luto por su madre, don Cipriano consideró que ya era tiempo de que sus hijos abandonaran la desordenada vida al lado de su abuelo y se los llevó a la ciudad de México, lugar en el que residía desde hacía varios años, ejerciendo profesionalmente como uno de los más notables penalistas del porfirismo. Don Cipriano actuó como embajador e, invariablemente leal al régimen de don

Porfirio Díaz, desempeñó misiones delicadas. Viajaba al extranjero con frecuencia y mostraba especial fascinación por Francia (típico en aquellos cercanos al entonces presidente Díaz); de ahí que obligara a sus hijos a leer todos los días en francés la historia de un santo, por supuesto francés. Allí, bajo el dominio místico paterno, Siqueiros ingresó en el colegio marista Franco-Inglés, de la Ciudad de México.

Así, mientras Siqueiros comenzaba sus estudios en el Franco-Inglés, Diego Rivera lograba el éxito de su primera exposición plástica. Dicho evento le valió una beca del gobierno de Veracruz para proseguir su formación pictórica en España, en la Escuela de San Fernando de Madrid, desde donde realizó diversos viajes a las principales ciudades de Europa occidental, hasta establecerse en París.

Ese mismo año, en Río Blanco, Veracruz, estallaba una sonada huelga de obreros textiles, que sufrió una represión excesiva por parte de las tropas gubernamentales. Muchas zonas del país empezaban a convulsionarse, y las duras represiones no hacían sino aumentar el descontento obrero, ante la indiferencia de la alta burguesía mexicana.

Mientras todos aquellos levantamientos sucedían, Siqueiros afinaba sus dotes artísticas. Teniendo doce años y después de realizar una copia de *La Virgen de la Silla*, de Rafael Sanzio, su padre decidió apoyarle, contratando para su formación artística al maestro académico Eduardo Solares Gutiérrez.

Era principios de 1909; Andrés Molina Enríquez publicó su libro *Los grandes problemas nacionales*, exponiendo abiertamente todo un catálogo de problemas socioeconómicos en el que señalaba la desastrosa distribución de las tierras, así como las condiciones en que se hallaban las diversas clases y grupos raciales de México. A este gran acontecimiento, le seguiría la publicación de *La sucesión presidencial en 1910* del incansable luchador Francisco Indalecio Madero, que aclamaba la organización de un partido auténticamente democrático. Dichas publicaciones comenzaron a minar en cierto modo la hasta entonces inquebrantable posición política de Porfirio Díaz en el poder.

Dos años antes, siendo consciente del origen de los primeros estallidos populares, el propio Díaz se anticipó a las fuertes críticas anunciando públicamente que se retiraría en 1910 y que vería gustoso la presencia de una oposición bien organizada. Pero tal anuncio no se cumplió.

En la capital se celebraban en 1910 las fiestas del centenario de la Independencia de México. Coincidiendo con esos festejos, el entonces secretario de Instrucción Pública, Justo Sierra, restableció la Universidad Nacional, que había permanecido cerrada desde los tiempos del emperador francés Maximiliano. Las enseñanzas del Dr. Alt en la Escuela de Bellas Artes, descritas como «incendiarias», habían creado un entusiasmo extraordinario entre los estudiantes que no sólo consiguieron que para las fiestas del Centenario se hiciera una exposición de pintura mexicana, sino que pidieron y obtuvieron muros de edificios públicos. José Clemente Orozco, quien en ese año era estudiante de pintura, escribió en sus memorias que habían llegado a levantar andamios en el Anfiteatro de la Escuela Nacional Preparatoria —ahí donde doce años después Diego Rivera pintaría su primera obra mural— y habían decidido iniciar el trabajo en noviembre de aquel año cuando, al estallar la Revolución, sus planes se vieron frustrados.

En dicha exposición Diego Rivera exhibió cuarenta de sus trabajos, con los que, pese a no haber desarrollado plenamente las posibilidades de su estilo vigoroso y enfático, obtuvo una favorable acogida. Gracias al éxito de ésta, su primera exposición, cinco años más tarde obtuvo una beca del gobierno de Veracruz para proseguir su formación pictórica en España, en la escuela de San Fernando de Madrid, desde donde realizó diversos viajes a las principales ciudades de Europa occidental, hasta establecerse en París.

Eran tiempos electorales y un partido opositor a Díaz, el llamado Partido Antirreeleccionista, que se oponía a aquella especie de vitalicia reelección proclamada por el «porfirismo», presentó frente a él una candidatura formada por Francisco Vázquez Gómez y Francisco Indelecio Madero. Se esperaba una nueva victoria de Díaz y un estallido social ante tales resultados. Y así fue, Madero de forma inmediata impugnó las elecciones, lo que le llevó al encarcelamiento en la prisión de San Luis Potosí.

Gracias al respaldo del pueblo, Madero pudo escapar a San Antonio, en Texas, y desde allí redactó un plan revolucionario, en el que, fundamentalmente, presentaba su protesta contra la burla al sufragio y por el sistema de reelección indefinida. Al mismo tiempo, prometió corregir los abusos en que había incurrido la llamada «ley de baldíos», dando protección a los perjudicados por la política agraria del Gobierno.

A finales de 1910, el 18 de noviembre para ser exactos, las fuerzas gubernamentales atacaron a su oponente Aquiles Serdán en Puebla, siendo esto un factor detonante; bastaron solamente cuarenta y ocho horas para que, el 20 de noviembre de 1910, estallara la Revolución.

Las noticias corrieron y estallaron revueltas populares a lo ancho y largo del país. Siqueiros experimentaba sus primeras creencias políticas y se hizo seguidor del movimiento de Madero, en parte por la influencia de su hermana y en parte en rebelión al carácter monástico de su casa.

Mientras en el norte apoyaban a Madero personas del prestigio popular de Pascual Orozco y Pancho Villa, que empezaron a proporcionar sonados triunfos en las tropas revolucionarias, enfrentándose a las fuerzas gubernamentales y, por vez primera, logrando derrotarles y ponerles en fuga, en el sur emergían Pablo

Torres Burgos y el propio Emiliano Zapata que, apoyando incondicionalmente el plan de San Luis presentado por Madero, lanzaron a sus fuerzas leales contra las del Gobierno, con éxitos notables en diversos campos de batalla.

En el artículo 3.º del *Plan de San Luis,* Madero hablaba concretamente de ofrecer a los pequeños propietarios la restitución de tierras que les habían sido arrebatadas ilegalmente, a causa de los abusos de los grandes propietarios y las leyes federales de Díaz, que apoyaban ese expolio.

Conociendo el explosivo contenido del *Plan de San Luis,* varios hacendados ricos del estado de Guanajuato y Morelos se reunieron en casa de don Cipriano Alfaro para recibir asesoría legal, pues les preocupaba sobremanera los rumores del despojo de tierra a manos de los revolucionarios. Siqueiros, a pesar de contar con escasos catorce años, se atrevió a desafiar a su padre llamando a los invitados ladrones. Ya desde entonces sentía repudio por la aristocracia porfiriana. Tal acto le llevó a abandonar su casa. José María Fernández Urbina, amigo y compañero de la escuela, le dio refugio y su madre le cuidó como a un segundo hijo. Siqueiros nunca regresaría al hogar paterno a pesar de los muchos intentos que su padre hizo para que volviera.

Capítulo III

El artista se bate en el campo.
Si le dan un golpe contesta con cinco.

E N 1911, mientras Siqueiros asistía la Escuela Nacional Preparatoria, se matriculó en la Escuela de Bellas Artes, conocida desde el virreinato como Academia de San Carlos, para estudiar pintura por las noches. En la Escuela, dirigida por Antonio Rivas Mercado, adquirió la disciplina para el dibujo, el conocimiento del manejo de colores y de las distintas técnicas que emplearía a lo largo de su vida. Durante su estancia en la Academia recibió talleres de grandes maestros, entre ellos Germán Gedovius, Saturnino Herrán y Francisco de la Torre.

El país se encontraba en plena efervescencia política por la revolución maderista. El 11 de marzo de 1911, en el sur Emiliano Zapata se alzaba en armas contra Porfirio Díaz y su gobierno. Este nuevo ejército tenía la moral y capacidad suficientes para enfrentarse con garantías de éxito a la represión y resistencia de las fuerzas regulares enviadas para sofocar el levantamiento. Varias victorias continuadas, en otros tantos en-

23

frentamientos armados, acrecentaron tanto el prestigio del joven caudillo, como la cuantía de los hombres a su mando, y empezaron a sembrar de dudas a muchos sectores políticos y militares mexicanos, que veían en el sur del país una amenaza tan real y tangible como la de Pancho Villa y sus huestes en el norte.

No resulta extraño, por tanto, que a finales del mes de marzo de 1911, tras diversas campañas triunfantes, Zapata lograse asaltar la ciudad de Cuernavaca, capital del estado de Morelos, tras una dura lucha en la que las fuerzas gubernamentales sufrieron fuertes pérdidas. La toma de aquella importante población y la derrota de los hombres de Díaz fueron uno de los más fuertes golpes que habría de recibir el poder constituido, mismo que empezaba a ver cómo se desmoronaba su autoridad en todas partes, a medida que iba triunfando le Revolución. Mientras tanto, en el norte, otras fuerzas revolucionarias atacaban Ciudad Juárez, y el enfrentamiento se hacía más cruento por momentos, hasta hacer caer la ciudad en manos de los revolucionarios.

Ante tales disturbios el ministro de Hacienda de Díaz, Limantour, regresó de Francia exigiendo y provocando cambios en el gabinete, en un intento desesperado por poner freno a la situación y acabar con aquel estado turbulento en el que se encontraba el país. Pero la situación se había tornado imparable y sus intentos fueron inútiles. El pueblo demandaba la renuncia de Porfirio Díaz al poder; el abatido y anciano presidente tomó la drástica decisión de enviar a sus representantes a parlamentar con las fuerzas revolucionarias y con el propio Madero. Finalmente, aceptó la renuncia de su cargo.

De manera interina Francisco León de la Barra se hizo cargo de la presidencia de la nación. Durante ese corto tiempo, el presidente interino rompió los acuerdos de paz pactados con Madero y el resto de los caudillos revolucionarios y envió al estado de Morelos a sus tropas, al mando de otro porfirista a ultranza, el general Victoriano Huerta, con el pretexto de pacificar de este modo la región.

Zapata, irritado, exigió a Madero la retirada inmediata de esas tropas, lo que obligó a éste a emprender un urgente viaje a Cuernavaca para entrevistarse con el líder de los revolucionarios del sur, logrando acuerdos amistosos con Zapata. Pero una vez más Huerta, quien comenzó a obrar por cuenta propia, aprovechó la ocasión para iniciar su particular guerra contra los habitantes de Morelos. Su intención era clara: capturar a Zapata y, posiblemente, hacerlo fusilar de inmediato. Esta vez Zapata no dialogó, simplemente rompió relaciones con Madero, a quien culpó erróneamente de traición.

Las elecciones estaban previstas para ese año y Madero presentó su candidatura una vez más, en esta ocasión su contrincante sería el mismo León de la Barra, quien representaba al conservador bando porfirista, y el cual naturalmente buscaba impedir que uno de los revolucionarios alcanzara el poder. Sin embargo, durante su interinato, León de la Barra cometió el grave error de mantener en sus cargos a la mayor parte de los porfiristas hostiles con naturaleza revolucionaria, con quienes resultaría imposible ganar las elecciones. El electorado, en su mayoría campesino, se volcó en favor de la candidatura de Madero, quien resultó triunfador por muy amplio margen.

En noviembre de 1911 Madero subió al poder ante las expectativas optimistas de los mexicanos. Sin embargo, la política moderada de Madero, unida a los constantes retrasos en la aplicación de las leyes destinadas a restituir las tierras expropiadas a sus legítimos dueños, los campesinos indígenas, como obviamente se había pactado, hicieron que el germen aún vivo de los revolucionarios en vez de adormecerse se exacerbara de nuevo.

Siqueiros estaba en la muchedumbre conformada por cadetes del Colegio Militar y trabajadores de la Casa del Obrero Mundial, que siguió a Madero desde el castillo de Chapultepec hasta el Palacio Nacional para desafiar a las fuerzas reaccionarias opuestas. Fue aquí donde Siqueiros vio su primera efusión de sangre.

Por esos días los estudiantes de la Escuela de Bellas Artes, por su parte, iniciaron una huelga que duraría seis meses en contra de los métodos académicos del pasado, en la que Siqueiros y su compañero y gran artista José Clemente Orozco participaron. Esta huelga, además de ser el primer contacto de Siqueiros con los problemas político-artísticos a los cuales dedicaría su vida, sería el hecho que marcaría el principio del movimiento mexicano de la pintura social moderna.

La huelga desembocó en el cierre del plantel y Siqueiros se vio obligado a dejar la Academia. El joven artista se incorporó a la Escuela Impresionista de Santa Anita (famosa por sus clases al aire libre), en donde aprendió del maestro Alfredo Ramos Martínez la técnica del pastel.

En este mismo año, Siqueiros realizó la que fuera su primera tela conocida; se trata de un cuadro grande y apaisado en el que se describe a una pareja de campesinos en medio de un paisaje brumoso. En este cuadro se perciben dos características significativas de la obra artística que desarrollaría a lo largo de su vida: por un lado el recurrente tema campesino y social que marca el momento histórico que se vivía en aquella época, y por el otro, el carácter simbolista que se refleja en algunos elementos del paisaje.

Las obras de arte creadas por Siqueiros entre 1911 y 1921 corresponden a su periodo formativo. Éstas fueron básicamente composiciones simbolistas marcadas por el descubrimiento mexicano del impresionismo.

El acelerado desgaste político del presidente Francisco I. Madero comenzó a verse con preocupación entre la población. La impopularidad erosiona poco a poco el prestigio del nuevo presidente. Madero ya no goza de la confianza de casi nadie. Y, lo que es aún peor, el gobierno de los Estados Unidos, su poderoso vecino del norte, considera que su mandato no debe continuar. El embajador estadounidense en México, Henry Lene Wilson, siguiendo directrices de sus superiores en Washington, planeó un golpe de Estado que acabaría de forma definitiva con Madero y su mandato.

Para lograr tan macabra hazaña, los norteamericanos cuentan con el apoyo de dos hombres de la confianza de Madero: los generales Félix Díez y Victoriano Huerta. Ambos militares se prestan a encabezar la conspiración contra el estadista, y en 1913 tiene lugar el planeado golpe de Estado que ha de terminar con la legislatura de Madero.

Eso hubiera bastado tal vez para cambiar las cosas conforme a los deseos norteamericanos, pero el general Huerta va mucho más lejos y no vaciló en hacer prisionero al presidente. Madero intenta la fuga, pero fracasa, y la reacción inmediata de Huerta es ordenar su asesinato.

Un maderista leal, Pino Suárez, muere también asesinado. Se nombra entonces a un presidente provisional, Pablo Lascurain Paredes, pero su mandato es breve, y le sucede en el más alto cargo de la nación el propio general Huerta.

El nuevo presidente, amparado por su insignia, ordenó ejecutar a numerosos diputados y senadores que se mostraron inconformes con sus métodos totalitarios. Entre sus víctimas estuvieron hombres ilustres, como Rendón y Belisario Domínguez. Éste fue el inicio de una dictadura militar dura y represiva, que favoreció los planes de los Estados Unidos y de sus grandes empresas instaladas en el país, pero que logró el descontento de los revolucionarios, quienes vieron cómo la situación empeoraba.

La trágica muerte del héroe revolucionario Francisco I. Madero el 22 de febrero de 1913 sacudió tanto a los maestros como a los alumnos de la Escuela. Muchos de ellos pronto abandonaron los estudios para unirse a las fuerzas, inspirados en gran medida por el entusiasmo del maestro Murillo, mejor conocido como Dr. Atl. Siqueiros, por su parte, se reúne con algunos de sus compañeros y forma parte de la conspiración obrera y estudiantil contra el dictador Victoriano Huerta.

Ese mismo año, una vez que cerró la Escuela de Santa Anita, Siqueiros se integró a la Revolución, en Orizaba, Veracruz. Trabajó como dibujante al lado de José Clemente Orozco y del Doctor Atl en el periódico carrancista *La Vanguardia*.

Por estos días llegaron noticias del norte del país a oídos de Huerta, aludiendo a que una rebelión encabezada por Venustiano Carranza se ha unido a la de Pancho Villa, hasta convertirse en una seria amenaza. El presidente empezó a sentirse acorralado y renunció a mantener tan numerosas tropas en Morelos, dejando en este estado unas cuantas guarniciones y trasladando el grueso de sus fuerzas al norte.

Emiliano Zapata y sus hombres vieron en esta estrategia militar una posibilidad para moverse con mayor libertad y acosar al enemigo más fácilmente. Los zapatistas lograron varias victorias locales donde antes habían vivido amargas derrotas o retiradas humillantes, agobiados por la superioridad enemiga.

Paralelamente a todo esto, un serio incidente logró desequilibrar el gobierno del general Huerta: el 21 de abril de 1914, unos marinos norteamericanos desembarcaron en Veracruz con la intención de realizar una intervención armada.

El general Huerta, de inmediato, movilizó fuertes contingentes de tropas mexicanas para hacer frente a los invasores, lo cual permitió el avance de los líderes revolucionarios del norte.

Huerta recibió con ira y frustración las adversas noticias del frente y estuvo tentado a enviar hacia el sur otro poderoso contingente militar para terminar con Zapata y su ofensiva, pero la situación en el norte tampoco era demasiado clara en esos momentos. El general temió que en cualquier momento precisara de cuantiosos medios humanos y materiales para evitar otro frente abierto en el lado opuesto del país. Sabía que por allí merodeaba Pancho Villa, de cuyas intenciones no se fiaba nada.

Ese mismo mes de abril se cantó la victoria definitiva de Zapata y la liberación final de los estados sureños atacados. La victoria clamorosa de los revolucionarios significaba el fracaso más rotundo y doloroso para el general Huerta y su dictatorial gobierno.

Simultáneamente, en el norte también se movían las fuerzas revolucionarias constitucionalistas contra el dictador Huerta. La caída del gobierno de Huerta estaba por suceder.

Después de cuatro años de lucha en el norte y noroeste de México, bajo el mandato del Estado Mayor del general Manuel M. Diéguez, jefe de la División de Occidente y antiguo dirigente de la huelga de Cananea, Siqueiros alcanza el grado de capitán segundo. Luchó también bajo las órdenes de su maestro y amigo Dr. Atl en el grupo Orizaba. Estas actividades en las cuales participaron con tanto vigor los jóvenes escritores y artistas, ayudaron a Siqueiros, y también a Orozco, a desarrollar su sentimiento hacia la Revolución.

Siqueiros aprendió, durante la lucha armada, a conocer y a amar la geografía, historia y arqueología de México. Se adentró a tal grado en la historia que llegó a comprender de manera más profunda los problemas sociales de su pueblo. Los eventos de 1916 hasta 1918, lo marcaron para toda la vida. A su corta edad ya había experimentado las escenas más sangrientas y, como él mismo lo decía constantemente, «llevaba la muerte consigo». Había visto caer a tantos hombres con tal facilidad que, según afirmó, llegó a dudar de la vida.

La ciudad de Guadalajara se convirtió en su lugar de base; fue allí en donde el joven Siqueiros se encontró con los integrantes del Grupo Bohemio, un grupo de artistas tapatíos entre los que se encontraban José Gaudalupe Zuno, Xavier Guerrero y Amado de la Cueva. Sus deliberaciones les condujeron a adoptar un número de resoluciones que Siqueiros dio a conocer con el nombre de «Acuerdos del Congreso de Artistas y Soldados». Durante esta época produjo una serie de retratos de franca inspiración romántica, pero con notas de originalidad en cuanto a la captación de la personalidad de los personajes; tales características se aprecian en los retratos de Carlos Orozco Romero y José Luis Figueroa. Dentro de esta producción vale la pena mencionar dos autorretratos, el primero ejecutado a lápiz plomo y el segundo, trabajado al pastel; este último nos permite vislumbrar ya al maestro del retrato.

Cuando Siqueiros regresó a finales de 1918 a la capital del país desarrolló una fecunda actividad como ilustrador de libros y revistas, mediante dibujos elaborados con lápices de color o con tinta negra. La mayor parte de esta interesante labor obedece a los principios del *art nouveau*, con fuertes rasgos del simbolismo, originando un efecto de elegancia. Para la publicación semanal del *Universal Ilustrado,* diseñó algunas carátulas coloreadas; entre éstas sobresale la dedicada a la bailarina rusa Anna Pavlova, entonces de visita en México. Otros singulares trabajos como ilustrador son los que realizó para las portadas de los libros *Con la sed en los labios*, de Enrique Fernández Ledesma, *y Bélgica en la Paz*, de Francisco Orozco Muñoz, ambos editados en 1919.

Capítulo IV

— Se gesta el Gran Arte Mexicano en Europa —

Hablamos de un arte nuevo,
crítico, demandante, pero ante
todo comprometido con su contexto.

En 1919 bajo el gobierno de Venustiano Carranza, líder del ejército constitucionalista, Siqueiros fue enviado a Europa a estudiar, con su sueldo de capitán segundo del ejército mexicano; cuestiones militares. A pesar de que su posición oficial fue «agregado militar» de las embajadas mexicanas de España, Italia y Francia, entre los años 1919-1922, Siqueiros se había propuesto dedicar parte de su tiempo a su propio desarrollo artístico.

Llegó a Francia en tiempos tormentosos. Un grupo numeroso de artistas —poetas y pintores— se había rebelado con furor en contra del arte establecido desde antes de la Gran Guerra del 1914.

En París conoce a Diego Rivera, con quien entabló una amistad que duraría el resto de su vida. La Revolución mexicana era para Rivera y Siqueiros tema de cada día. En el pequeño departamento de Diego cantaban corridos y se compartían vivencias. Mientras que para Rivera todo se concentraba en historias escuchadas y luego relatadas, para Siqueiros todo lo que contaba era parte de su vida, tan suyo como el color verde de sus ojos. Lo indudable es que para ambos México lo era todo. ¿Qué otro país podía concebir tanto color, tanto asombro, tanta creación? Entre cuatro paredes redescubrían a su patria. Había que volver sobre los pasos y no perder más tiempo. Las fuentes de la estética que ellos habían ideado no estaban en Europa. Sentían ya la necesidad de expresarse con voces genuinas. Gestaban en silencio el inicio del gran arte mexicano.

Habían oído hablar de los grandes murales pintados en algunos templos de París por los discípulos de Ingres. Los pintores de la época se mostraban indiferentes ante tal esfuerzo, así que Diego y Siqueiros vagaban por las iglesias vacías, analizando la importancia del trabajo de los artistas agrupados y repudiando, por momentos, la actividad individual, tan aclamada en los años 20 como única forma de arte.

Había que viajar por Italia y, si los recursos alcanzaban, ir a Grecia. Pero por razones económicas y debido también a la calidad de becario de la Secretaría de Guerra, que obligaba a Siqueiros a concurrir de cuando en cuando a simulacros y prácticas del ejército galo en la escuela de Saint-Cyr y en otros lugares de Francia, Diego y Siqueiros no pudieron viajar al mismo tiempo.

Eso no impidió que las impresiones adquiridas en sus viajes a Italia fuesen compartidas. Rivera llegó a expresar en algunas de sus cartas, después de haber «descubierto» el método de composición de la obra de Giotto en Asís, que había perdido tiempo pintando cuadritos de caballete, habiendo podido expresar toda su obra por los grandes muros.

Ilusionado, Siqueiros, por su parte, partió a recorrer los hitos más importantes del muralismo prerrenacentista, se interesó por los arcaicos romanos, llegó a Grecia. Copió, al igual que Diego, secciones de lienzos, hizo incontables dibujos sobre esculturas, aunque con los inconvenientes naturales de su impaciencia frente al método ordenado y lento de Diego. Para David el estudio de la obra de arte era sobre todo la aprehensión de rasgos singulares, la captura de imágenes que inflamaran la sensibilidad, en tanto que Rivera aplicaba el examen minucioso, la investigación.

En Europa, Siqueiros se encuentra con los cubistas, conoce a los grandes representantes de las corrientes vanguardistas y queda profundamente marcado por Cézanne, pero será la corriente postimpresionista la que Siqueiros adoptaría y la cual influiría en los murales de fuerte contenido arcaico mexicano, que pintó a su regreso.

Durante su estancia en Italia, Siqueiros queda también conmovido por los murales renacentistas y se interesa por la obra y teoría futurista iniciada por el poeta italiano Filippo Tomado Marinetti (1876-1944), que, según consideraban sus partidarios, sería el arte del porvenir. Las máquinas, su actividad, su velocidad, fueron las nuevas fuentes de inspiración.

Ya en las postrimerías del viaje, Siqueiros se enfrentó a los conceptos de Diego sobre el Renacimiento y el barroco. A su vuelta a París, las diferencias en el campo de la estética entre ambos artistas se ahondaban poco a poco. Mientras Rivera hacía de Giotto el centro de sus reflexiones y afanes del arte, Siqueiros partía de Masaccio, quien con Usello fijó los lineamientos que más tarde Miguel Ángel, Rafael y Leonardo habrían de llevar hasta la cima.

Parecía ser que sólo en un punto estaba totalmente de acuerdo con Rivera: regresar cuanto antes a México y pintar obras monumentales inspiradas en temas mexicanos. Europa los había colmado con la riqueza, pero México era el suelo propio.

La lucha armada a gran escala cesa en México a partir de la toma de posesión del general Álvaro Obregón (1921), y aun

33

cuando se producirían trastornos de gran magnitud, como el levantamiento delahuertista y la guerra *cristera*, ni ésos ni otros podrían destruir el poder constituido ni su continuidad. Esa sola circunstancia permitió la organización de un gobierno estable capaz de dar curso a los proyectos que se vislumbraban y gestaban. La presencia de José Vasconcelos al frente de la Universidad fue en esto un factor decisivo. Intelectual rebelde desde finales del régimen porfiriano, como lo muestra el hecho de que formara parte del Ateneo de la Juventud (grupo que buscaba nuevos rumbos frente a la filosofía y el pensamiento establecidos), Vasconcelos vivió activamente la lucha revolucionaria. Desde la Universidad organizó la creación de la nueva Secretaría de Educación Pública, que sustituiría a la porfiriana Secretaría de Instrucción, creada a finales del gobierno de Díaz por Justo Sierra, y desaparecida durante el mandato de Venustiano Carranza.

La Secretaría de Educación Pública fue la estructura a partir del la cual se definió el proyecto educativo y cultural de la Revolución. La capacidad y riqueza de ideas de Vasconcelos, quien tuvo la posibilidad de recoger los mejores fermentos que la misma situación del país propiciaba, le permitieron extender el proyecto a los más diversos aspectos, incluido el de las artes.

Diego Rivera regresó a México en julio de 1921. Allí el nuevo secretario de Educación, José Vasconcelos, lo contrató para pintar los muros del claustro de la Escuela Nacional Preparatoria. Trabajó también en la elaboración de frescos para la Secretaría (Ministerio) de Educación. A este período perteneció una de sus grandes obras, *La tierra fecunda*, para la Escuela Nacional de Agricultura de Chapingo.

Ese mismo año Siqueiros partió hacia España, donde junto con el grupo socialista de Barcelona inició la publicación de la revista especializada *Vida Americana* (de la cual apareció sólo un número). Allí, con el auxilio de los anarquistas, lanzó en 1921 su *Manifiesto* a los Plásticos de América, llamándolos al *«arte monumental y heroico, a un arte humano, a un arte público, con el ejemplo directo y vivo de las grandes y extraordinarias pinturas prehispánicas de América»*, mediante una plástica que sintetice temas universales y formas y materiales modernos. Escribió allí que *«nuestra natural fisonomía racial y local aparecerá en nuestra obra, inevitablemente. (...) Acerquémonos a las obras de los antiguos pobladores de nuestros valles, a los pintores y escultores indios...»*. Aunque también prevenía contra *«las teorías basadas en la relatividad del arte nacional»*. Al pedir que los artistas se universalizaran, Siqueiros entendía que la identificación con lo propio llevaría a esa dimensión universal siempre que no se hiciera un arte arqueologista: consideró que la *«proximidad climatológica»* con los indios daría a los artistas *«la asimilación del vigor constructivo de sus obras»*. Pedía que se adoptara su *«energía sintética»*, pero sin llegar a *«las lamentables reconstrucciones arqueológicas»*. Siqueiros propuso un nacionalismo amplio, con sentido profundo, no pintoresco ni superficial. En ese documento Siqueiros supuso también un rechazo a la pintura de caballete y a todo lo aristócrata o intelectual que pudiera servir como inspiración para el artista.

Ya en 1921, Siqueiros proclamaba la necesidad de incorporar en los programas de estudio a las vanguardias y al arte prehispánico como base de operación estética, y dejar de lado al impresionismo y al *art noveau*.

Capítulo V

Que se levante la voz del
pueblo a través de estos murales.

D URANTE el periodo presidencial de Álvaro Obregón, el filósofo José Vasconcelos, en calidad de secretario de Educación, emprendió una vasta renovación revolucionaria de la cultura nacional; Orozco tendría razón en afirmar que en 1922 la pintura mural se encontró «la mesa puesta». Las ideas que más tarde se plasmaron en mural ya se venían desarrollando desde los primeros movimientos sociales que dieron origen a la Revolución mexicana y a las ideas de carácter social, que rondaron durante el periodo de 1900 a 1920.

Los objetivos de la revolución educativa eran lograr el dominio estatal de la educación según los dictados de la constitución y atacar las estructuras locales del poder porfirista, o sea, apoderarse del principal instrumento ideológico y convertirlo en el arma de la revolución. La educación se convirtió en el brazo revolucionario más poderoso que agitaba, politizaba, organizaba y también transmitía conocimientos. Para la joven generación de artistas, éste era un fértil campo de cultivo, para sus ideas revolucionarias.

Otra circunstancia que contribuyó grandemente a la renovación de la cultura y el arte mexicanos fue el hecho de que la misma Revolución, especialmente después de la contrarrevolución de Victoriano Huerta, «canceló», por así decirlo, a toda una generación de intelectuales y artistas. La mayoría de aquellos hombres desaparecieron o salieron al destierro; de cualquier modo dejaron el foro y la posibilidad de tener una voz en el ámbito nacional. Dejaban un hueco que tenía que ser ocupado; todos o casi todos los que se daban a la tarea de la reconstrucción del país en ese momento eran jóvenes, de ese modo serían jóvenes los artistas de esta generación que sustituiría a la anterior desaparecida.

En 1921 hace su aparición la nueva generación de artistas: jóvenes que a pesar de todo fueron formados en el régimen anterior. La mayor parte de ellos viajaron para terminar su educación artística y, también casi todos ellos, con el apoyo de instituciones oficiales. Esta nueva generación se había formado en una gran ola de cambios, no sólo respecto a la política nacional, sino de cambios culturales y artísticos que barría Europa desde finales del siglo XIX, acentuada sobre todo en la primera década del siglo XX, cuando aparecen, después del postimpresionismo y el simbolismo, el fauvismo y el cubismo (en París), y luego el futurismo italiano, el suprematismo ruso y el expresionismo alemán. Para 1910 Kandinsky inicia su pintura no figurativa, arrancando la gran aventura de la abstracción. Durante la guerra se había gestado el movimiento más iconoclasta del arte: Dadá; poco después surgiría el surrealismo. En el amanecer de la Europa desgarrada por la paz de entreguerras, en 1918, la cultura y el arte europeos empezaban a transformarse: se sentaban las bases de lo que sería el desarrollo del arte contemporáneo del siglo XX. El mundo entero estaba cambiando.

Los artistas mexicanos que residieron en Europa, ya fuese en París o con la mirada puesta en esta ciudad, pudieron enriquecerse, en la medida de sus capacidades, con toda esa apertura nunca antes imaginada en el campo de las artes. La rebeldía y la desconfianza en la Academia, que incubaban desde años atrás, encontraba correspondencia en los nuevos discursos que se proponían en Europa. Por su parte, los artistas que permanecieron en México, aunque menos expuestos a los cambios, tampoco permanecieron aislados y estuvieron, con su deseo de renovación y búsqueda, atentos a lo que pasaba en otras partes.

En relación con la convulsión política y social se despertó un renovado interés nacionalista, que retomaba las preocupaciones nacionalistas anteriores y que marcaría definitivamente la cultura mexicana de los años 20 y 30. Se trata de una mirada al interior, de una reflexión sobre la misma tradición histórica y cultural, de un rescate de lo propio como específico, diferente, capaz de fortalecer una nacionalidad herida durante los largos años de lucha.

Esta nueva forma de entender el arte se nutría básicamente de dos elementos: por una parte su coincidencia con el tono de la ideología social que, sobre todo a partir de la Constitución de 1917, se delineaba en el país como núcleo de acción, y por otra parte, su relación con un tema recurrente de los movimientos artísticos europeos —por lo menos desde el romanticismo—, esto es, la preocupación por recobrar la función social del arte, por devolver al arte un lugar importante en el cuero social, que para algunos movimientos, como el expresionismo alemán y nórdico, había empezado a cobrar renovada importancia.

A principios de los años 20, la Revolución se había tornado pacífica pero el país se mantenía en un estado crítico de pobreza, hambruna, analfabetismo y enfermedades. La idea de rehacer todo desde los cimientos no era sino una muestra del idealismo socialista de Vasconcelos, quien vio en los murales la posibilidad de crear altares cívicos ante los cuales el pueblo reafirmaría su fe en el nuevo orden.

Es así como invitó a Roberto Montenegro, pintor experimentado en Francia, España y México, a pintar el ábside del ex templo del convento de San Pedro y San Pablo, y a Diego Rivera, recién llegado de Europa, a pintar el anfiteatro de la Escuela Nacional Preparatoria.

La obra de Montenegro, inspirada en un tema de Goethe, *Acción supera al destino: ¡Vence!*, que él convirtió en un frondoso árbol bajo cuyas ramas «danzan» doce personajes en actitudes coreográficas, constituyó para Vasconcelos un verdadero fracaso.

No derrotado ante su fracasado primer intento, Vasconcelos confió su anhelo a Diego Rivera. La obra de Rivera *La Creación*, en cambio, conquistó el aplauso de los artistas y del público culto que admiró, sobre todo, la magnitud pictórica de los personajes (la música, la danza, el teatro, la poesía, el canto...) y la sabia distribución de las formas en el espacio. *La Creación* parecía ser una mezcolanza alegórica que pretendía significar «la formación de la raza mexicana», pero que resultó ser un himno racionalista al origen del hombre y a sus poderes intelectuales, entonado con metáforas de todas las religiones: ocultismo, deidades paganas y santificación. Por su belleza, por su artesanía y su originalidad, la obra tenía categoría de altar; pero el culteranismo de su contenido resultó completamente extemporáneo; se adecuaba más a una urbe aristocrática del espíritu que a la nación lacerada que era México.

Los jóvenes artistas fueron empujados, por la fuerza de un movimiento automático, a pintar en los muros por primera vez, experimentando los que serían los primeros pasos de un gran movimiento pictórico.

En los murales de Fernando Leal, *Fiesta del Señor en Chalma*, y Fermín Revueltas, *Señora de Guadalupe* —elaborados ambos en la Preparatoria—, aparecía el pueblo con su rostro, sus trajes y sus ritos; sin duda esas pinturas costumbristas, primarias o intrascendentes en su concepción, hicieron pensar a Rivera; tampoco debe haber pasado por alto la bondad que ofrecían las escenas históricas de Ramón Alva de la Canal con *El desembarco de la Cruz* y Jean Charlot con *La conquista de Tenochtitlán*.

Otros grandes artistas, que a pesar de su largo trayecto en la pintura, se incorporaron con renovados ánimos en el muralismo, fueron el Dr. Atl —en San Pedro y San Pablo— y Xavier Guerrero —quien comenzó ayudando a Diego Rivera y después realizó su trabajo individualmente en San Pedro y San Pablo.

Muchos de los pintores habían empezado ya sus murales cuando David Alfaro Siqueiros y José Clemente Orozco regresaron a México. Siqueiros fue invitado por Vasconcelos en septiembre de 1922 a incorporarse a este nuevo movimiento mural, a lo que él respondió: *«Estoy totalmente de acuerdo con su idea básica de crear una nueva civilización extraída de las más profundas entrañas de México (...) y deseo retornar a la patria lo antes posible para trabajar ahí.»*

Rivera estaba a punto de concluir *La Creación*. Siqueiros relató en sus memorias que le resultó muy insatisfactorio ver el resultado de esos primeros trabajos, especialmente el de Diego Rivera; encontraba que no se correspondía con las ideas que ambos habían conversado en París y que él había expresado en el *Manifiesto* «a los plásticos de América". No obstante, después de haber gestionado con Vasconcelos en esos mismos finales del 1922 el espacio mural que pintaría —el cubo de las escaleras del llamado «Colegio Chico» de la Escuela Nacional Preparatoria de San Idelfonso, cuyo techo inclinado en forma de bóveda le sedujo inmediatamente, a pesar de su poca accesibilidad—, lo primero que realizó fue un tema del mismo carácter general y abstracto: *Los elementos*. En el centro aparece una mujer-ángel, suspendida en el aire, que representa a la humanidad; en su derredor los símbolos de los elementos, que Siqueiros reinventa en un esfuerzo por alejarse de la simbología tradicional: el fuego son unas formas geométricas, supuestamente flameantes; el aire, unas hélices; el agua, unos caracoles, y la tierra *«con dos como huesos gigantescos de alguna fruta, preconcebidamente de origen tropical»*, según su propio testimonio.

La composición de *Los elementos* es extraordinariamente rígida y simétrica, con un claro sentido decorativo proporcionado por el mismo tema. Pero en sus formas resulta verdaderamente moderno, en el uso de un geometrismo sin concesiones y en la corporeidad de la figura femenina, vestida con una especie de toga sin mantas y la cabeza cubierta con un manto que le da un leve sentido religioso; utilizó ahí una manera de moldear el cuerpo, entre bulbosa y flamígera, que reaparecerá continuamente en la obra de Siqueiros. El colorido, de tonos muy fuertes, contribuye a la monumentalidad del conjunto.

Ante tal simbolismo Siqueiros se justifica diciendo: *«Nuestro propósito fundamental era crear, inventar nuestro arte y, de ser posible, algo tan nuestro que no se pareciera a nada.»*

Inmediatamente después de realizar la bóveda de *Los elementos*, David Alfaro Siqueiros inicia en la misma escalera un fresco: *El entierro del obrero sacrificado*, en donde las caras de los obreros que cargan el féretro expresan bien el drama que en eso momento viven: explotación, miseria y hambre, falta de protección, enfermedad y muerte. El hombre, en postura horizontal, con una aureola alrededor de la cabeza, que representa a *los Mitos* y las dos mujeres —una de las cuales muestra un par de cadenas rotas clamando por la libertad— están rudamente desprovistas de todo adorno. Descalzas, tienen un vestido que no cubre sus senos, mostrando una fuerza poderosa, de grito callado y de revuelta que aún no estalla. La fuerza de las figuras (rostros, medias figuras alrededor del féretro) alcanza un dramatismo sobrecogedor. El tema ahora se refiere a la historia del momento y tiene una clara connotación política hecha todavía más evidente por la presencia de la hoz y el martillo sobre el ataúd.

El conjunto en sí carece de unidad, pero el bloque compacto de obreros que se abrazan espiritualmente con el muerto revela al gran artista que nace en ese momento para México y el mundo.

En contraste con los murales pintados por Rivera en este periodo, en el mural del Colegio Chico Siqueiros capturó el espíritu y los valores nativos de la escultura azteca. Siqueiros fue el primero de sus contemporáneos en tratar el mural como parte integral del edificio. Consideró el espacio tridimensional de la arquitectura: en lugar de la concepción de este género pictórico como simple problema de paños autónomos, ligados entre sí sólo por lazos decorativos o de relaciones de proporciones y tonalidades, empleó superficies activas, cóncavas, convexas, compuestas de convexidad o concavidad, tanto como superficies planas, quebradas, etc., para generar formas esculturales y poderosas que caracterizarían a toda su obra mural.

La novedad y la fuerza del muralismo atrajeron pronto la atención y una devoción inusitadas. Mientras la escuela muralista crecía y se definía, aunque no sin dificultades —como la que planteó la poca tolerancia del régimen del general Plutarco Elías Calles—, un mundo artístico también moderno, también mexicano, pero incapaz de seguir el paso a la grandilocuencia y a la monumentalidad de la escuela, vivía casi a la sombra. Su búsqueda, la de artistas como Manuel Rodríguez Lozano, Julio Castellanos, Agustín Lazo, Tamayo e incluso Antonio Ruiz, era hacia unas esencias más decantadas de lo mexicano en su cotidianidad, sin aspavientos ni mayor filosofía didáctica; en ese tono menor —capaz de detectar resonancias más íntimas, quizá más verdaderas— que parece a menudo característico de lo mexicano. Después vendría una figura genial y polémica que echó a andar sus experiencias surrealistas en medio del muralismo: Frida Khalo.

La posición excéntrica de la cultura mexicana respecto a Europa, y su gran contenido de elementos locales no europeos, la dotan de una condición de ambivalencia, que se manifiesta históricamente en dos actitudes contradictorias: una interesada en manifestar y exaltar las diferencias respecto a la matriz europea; otra, interesada en mostrar la posibilidad de universalidad de los mexicanos, la cual liga a su posibilidad de modernidad.

Mientras una cantidad impresionante de metros cuadrados iban tomando forma y color, el resto del país debatía sobre las próximas elecciones. Álvaro Obregón por su parte apoyaba al general Calles, viendo en éste una extensión de su periodo presidencial, y hasta una posible sucesión. El sindicalismo se extendía en todas partes, formando lo que en realidad se pretendía, una revolución institucionalizada, en donde los bandos comunistas o fascistas luchaban por perpetuar su poder.

Siqueiros nunca estuvo ajeno a estos cambios; si imaginamos al maestro como un artista introvertido, sumido en su trabajo artístico hasta los huesos, estamos equivocados. En esa época los jóvenes muralistas cargaban brocha y pistola bajo el mismo cinto. Se mantenían dentro de los movimientos sociales y eran agentes de cambio. Ese mismo compromiso social activo les llevaría (en especial a Siqueiros) a interrumpir sus murales innumerables veces. Pero eso es lo que hace a este hombre aún más interesante, su rebeldía, su dominio en el mundo político y artístico, como si para él fueran mundos inseparables.

Capítulo VI

— Vuelta al sindicalismo. Se aparta de la pintura —

¿Puede acaso el artista
separarse de la política?

E N dos años, a partir de 1922, la pintura mural había dado sorprendentes pasos de gigante. Los pintores habían dado un giro de ciento ochenta grados en su temática, había definido cada uno un estilo (por más que éste siguiera cambiando con el tiempo) y habían cubierto una cantidad de metros cuadrados apenas imaginable. Es indudable que, dada la capacidad de cada uno, la experiencia de estar frente a los muros les había forzado a esos cambios radicales; pero también es indudable que en ello tuvo parte muy considerable su organización en el Sindicato. Orozco señaló acertadamente, que *«el Sindicato por sí mismo no tenía ninguna importancia»*, pues no era ninguna agrupación de obreros que tuviera que defenderse de un patrón, pero el nombre sirvió de bandera a las ideas que venían gestándose, basadas en las teorías socialistas contemporáneas.

Para la idea del Sindicato, y en lo sustancial del *Manifiesto* que éste produjo, fue pieza capital David Alfaro Siqueiros. Orozco afirma que fue él quien regresó de Europa con un pensamiento teórico en ese sentido: *«Siqueiros redactó y nosotros aceptamos y firmamos.»* En todo caso, la insólita ocurrencia de organizarse en sindicato de artistas está estrechamente relacionada con la preocupación de un arte público, la preocupación de recuperar al artista como un trabajador útil para su comunidad, la idea de un trabajo colectivo.

Así fue como en 1923 Siqueiros ocupó el puesto de secretario general del naciente Sindicato de Obreros Técnicos, Pintores y Escultores Revolucionarios de México, «una organización gremial que le dio plataforma organizativa e ideología, aunque aún muy romántica, a nuestro movimiento de pintura», dijo él mismo.

En 1924, junto con Diego Rivera y Xavier Guerrero y contando con la asistencia periodística de Rosendo Gómez Lorenzo y el abnegado trabajo de quien entonces fuera su esposa, Graciela Amador, inició la publicación semanal *El Machete*, periódico oficial de dicho Sindicato que se consideró del pueblo y para el pueblo y que más tarde se volvería el órgano del Partido Comunista. Para entender la línea editorial de este periódico, vale la pena incluir su lema:

«El Machete sirve para cortar la leña,
para abrir las veredas en los bosques umbríos,
decapitar culebras, tronchar toda cizaña
y humillar la soberbia de los ricos impíos.»

El Machete sería, igualmente, un medio por el cual se enfatizaría el papel social del muralismo y en el cual quedaría impreso el trabajo gráfico en blanco y negro de Siqueiros, Rivera y Xavier Guerrero.

Aquí reproducimos textualmente el primer manifiesto publicado en *El Machete* el 15 de junio de 1924, también conocido como *Declaración Social, Política y Estética*.

Cabe mencionar que dicho manifiesto fue antes publicado como carta para pegarse en las calles y más tarde publicado en el diario.

MANIFIESTO DEL SINDICADO DE OBREROS, TÉCNICOS, PINTORES Y ESCULTORES

A la raza indígena humillada durante siglos; a los soldados convertidos en verdugos por los pretorianos; a los obreros y campesinos azotados por la avaricia de los ricos; a los intelectuales que no estén envilecidos por la burguesía.

Camaradas:

La asonada militar de Enrique Estrada y Guadalupe Sánchez (los más significativos enemigos de las aspiraciones de los campesinos y obreros de México) ha tenido la importancia trascendental de precipitar y aclarar de manera clara la situación social de nuestro país, que por sobre los pequeños accidentes y aspectos de orden puramente político es concretamente la siguiente:

De un lado, la revolución social más ideológicamente organizada que nunca, y del otro lado la burguesía armada: soldados del pueblo, campesinos y obreros armados que defienden sus derechos humanos contra los soldados del pueblo arrastrados con engaños o forzados por jefes políticos vendidos a la burguesía.

Del lado de ellos, los explotadores del pueblo, en concubinato con los claudicadores que venden la sangre de los soldados del pueblo que les confiara la Revolución.

49

Del nuestro, los que claman por la desaparición de un orden envejecido y cruel, en el que tú, obrero del campo, fecundas la tierra para que su brote se lo trague la rapacidad del encomendero y del político, mientras tú revientas de hambre; en el que tú, obrero de la ciudad, mueves las fábricas, hilas las telas y formas con tus manos todo el confort moderno para solaz de las prostitutas y los zánganos, mientras a ti mismo se te rajan las carnes del frío; en el que tú, soldado indio, por propia voluntad heroica abandonas las tierras que laboras y entregas tu vida sin tasa para destruir la miseria en la que por siglos han vivido las gentes de tu raza y de tu clase para que después un Sánchez o un Estrada inutilicen la dádiva grandiosa de tu sangre en beneficio de las sanguijuelas burguesas que chupan la felicidad de tus hijos y te roban el trabajo de la tierra.

No sólo todo lo que es trabajo es noble, todo lo que es virtud es don de nuestro pueblo (de nuestros indios muy particularmente), sino la manifestación más pequeña de la existencia física y espiritual de nuestra raza como fuerza étnica brota de él y, lo que es más, su facultad admirable y extraordinariamente particular de hacer belleza: el arte del pueblo de México es la manifestación espiritual más grande y más sana del mundo y su tradición indígena es la mejor de todas. Y es grande precisamente porque siendo popular es colectiva, y es por eso que nuestro objetivo estético fundamental radica en socializar las manifestaciones artísticas tendiendo hacia la desaparición absoluta del individualismo por burgués. Repudiamos la pintura llamada de caballete y todo arte de cenáculo ultraintelectual por aristocrático y exaltamos las manifestaciones de arte monumental por ser de utilidad pública. Proclamamos que toda manifestación estética o contraria al sentimiento popular es burguesa y debe desaparecer porque contribuye a pervertir el gusto de nuestra raza, ya casi completamente pervertido en las ciudades. Proclamamos que, siendo nuestro momento so-

cial de transición entre el aniquilamiento de un orden envejecido y la implantación de un orden nuevo, los creadores de belleza deben esforzarse por que su labor presente un aspecto claro de propaganda ideológica en bien del pueblo, haciendo del
arte, que actualmente es una manifestación de la masturbación
individualista, una finalidad de belleza para todos, de educación y de combate.

Porque sabemos muy bien que la implantación en México
de un Gobierno burgués traerá consigo la natural depresión
de la estética popular indígena de nuestra raza, que actualmente
no vive más que en nuestras clases populares, pero que ya empezaba, sin embargo, a purificar los medios intelectuales de
México; lucharemos por evitarlo, porque sabemos muy bien
que el triunfo de las clases populares traerá consigo un florecimiento, no solamente en el orden social, sino un florecimiento
miento unánime de arte étnica, cosmogónica e históricamente trascendental en la vida de nuestra raza, comparable al de
nuestras admirables civilizaciones autóctonas; lucharemos sin
descanso por conseguirlo.

El triunfo de De la Huerta, de Estrada o de Sánchez, estética como socialmente, sería el triunfo del gusto de las meca-
nógrafas: la aceptación criolla y burguesa (que todo lo co-
rrompe) de la música, de la pintura y de la literatura popular,
el reinado de lo «pintoresco», del «kewpie» norteamericano y
de la implantación oficial de «l'amore e come zucchero». El
amor es como azúcar.

En consecuencia, la contrarrevolución en México prolon-
gará el dolor del pueblo y deprimirá su espíritu admirable.

Con anterioridad, los miembros del Sindicato de Pintores
y Escultores nos adherimos a la candidatura del general don
Plutarco Elías Calles, por considerar que su personalidad definitivamente revolucionaria garantizaba en el Gobierno de la
República, más que ninguna otra, el mejoramiento de las cla-

ses productoras en México, adhesión que reiteramos en estos momentos con el convencimiento que nos dan los últimos acontecimientos político-militares, y nos ponemos a la disposición de su causa, que es la del pueblo, en la forma que se nos requiera.

Hacemos un llamamiento general a los intelectuales revolucionarios de México para que, olvidando su sentimentalismo y zanganería proverbiales por más de un siglo, se unan a nosotros en la lucha social y estético-educativa que realizamos.

En el nombre de toda la sangre vertida por el pueblo en diez años de lucha y frente al cuartelazo reaccionario, hacemos un llamamiento urgente a todos los campesinos, obreros y soldados revolucionarios de México, para que, comprendiendo la importancia vital de la lucha que se avecina, y olvidando diferencias de táctica, formemos un frente único para combatir al enemigo común.

Aconsejamos a los soldados rasos del pueblo que, por desconocimiento de los acontecimientos y engañados por sus jefes traidores están a punto de derramar la sangre de sus hermanos de raza y de clase, mediten en que con sus propias armas quieren los mistificadores arrebatar la tierra y el bienestar de sus hermanos que la Revolución ya había garantizado con las mismas.

Por el proletariado del mundo.

El secretario general, David Alfaro Siqueiros; el primer vocal, Diego Rivera; el segundo vocal, Xavier Guerrero; Fermín Revueltas, José Clemente Orozco, Ramón Alva Guadarrama, Germán Cueto, Carlos Mérida.

Del más somero análisis se desprende que las proposiciones extremistas de la *Declaración* correspondían a una revolución proletaria y no a una revolución democrática-burguesa; eso explica en gran parte por qué el arte que germinó gracias a ellas entró, desde sus orígenes, en conflicto con la sociedad en la que se produjo.

Se trataba de hacer un arte mexicano, recogiendo y renovando una tradición nacionalista, un arte que implicara una reflexión sobre la historia y la realidad social del país (arte «filosófico», se le ha calificado), un arte público, y por eso necesariamente documental y aun didáctico, capaz de que el pueblo tomara conciencia de su situación y llevara más adelante la causa revolucionaria; y un arte que encontrara formas particulares y nuevas de expresión, propias para hacer visibles esos contenidos.

El *Manifiesto* tiene un lenguaje rudo y presenta afirmaciones y proposiciones no muy fáciles de sostener, pero en él están contenidas las ideas capitales fácilmente reconocibles en el rumbo que tomó la obra de los artistas, aunque entendido de modo diverso por cada uno: un arte público y monumental, un arte incendiario, un arte mural. La *Declaración* ancló a los pintores en la indispensable sinceridad objetiva y subjetiva respecto del pasado y del presente, y comprometió su emoción con el mundo venidero, es decir les obligó a producir un arte realista. Siendo una tarea de grupo, conservó para el creador lo más positivo del individualismo: la autodeterminación indispensable para la inventiva, la responsabilidad y el entusiasmo; autodeterminación que estuvo constantemente normada por una crítica colectiva, que no siempre se expresó en términos fraternales.

Los críticos más agudos y persistentes, que acosaron a los pintores muralistas durante cada tramo de su producción, fueron los mismos pintores muralistas. Los artistas polemizaron, trabajaron unidos o enfrentados en bandos contrarios; pero la índole voluntaria de su adhesión hizo que jamás se arrepintieran ni se retractaran de su determinación original.

En este sentido Siqueiros siempre hablaba de la «crítica compañera», que debía acompañar al artista; de no aceptar el distanciamiento entre quien produce la crítica y el artista, porque entonces entraba en estado de desconfianza. Él nunca tuvo una crítica suficientemente entusiasta, pero no dejó de observarla. Fue capaz de reconocer, por ejemplo, a Octavio Paz como la mejor pluma entre los literatos que se habían dedicado a hacer ensayos sobre arte. No obstante que Paz, en más de una ocasión, manifestó pena al ver que ese talento, el más avanzado de los que tuvimos, se hubiese deformado por el estalinismo. David recortaba los comentarios que se publicaban sobre su trabajo, su persona u otros movimientos y artistas que existían bajo su reflector; también guardaba celosamente sus propios escritos y testimonios en torno a su producción. No lo hacía de una manera ordenada, pero dichos materiales reunidos de forma constante permiten hoy un acercamiento crítico a su obra.

Al principio la efervescencia renovadora cogió a todos por igual; muchos, los mejores, avanzaron francamente hacia la producción de un arte de contenido ideológico militante. Otros, como Roberto Montenegro, Carlos Mérida y Fernando Leal, recorrieron parte del camino, tomaron para sus obras elementos pintorescos de la historia, las tradiciones populares o el folclore, pero sin adicionarle ninguna alusión política.

En Julio de 1924, tuvieron lugar las elecciones en las que triunfó Plutarco Elías Calles por amplio margen de votos (1.300.000 votos contra 250.000 para Felipe Flores). Al terminar su periodo, Vasconcelos fue relevado en su cargo por Manuel Puig Cassaurang, quien presionó a los artistas para que abandonaran su abierta militancia comunista. El régimen de Calles vio con desconfianza a los muralistas, o por lo menos fue ambivalente hacia ellos: el radicalismo o la furia de sus obras no se avenía bien con la nueva situación política. Un gobierno que procuraba la estabilización del país y su encauzamiento por la vía de las instituciones, requería ciertamente de todos los elementos de un nacionalismo que contribuyera a los fines estatales, pero eludía a la crítica y temía la agudización del proceso revolucionario. Siqueiros nunca más regresaría a terminar el fresco *Llamado a la Libertad*. Orozco pudo contar con el apoyo del nuevo secretario de Educación para terminar la obra de la Preparatoria, pero, incómodo, partió a Nueva York, en donde permaneció hasta 1934. Ese periodo fue muy importante para la evolución artística del pintor. Rivera, por su parte, sí fue capaz de adecuarse a la nueva situación y seguir pintando.

La toma del poder de Calles significó también el fin del Sindicato. Con el tiempo, el papel de *El Machete* fue juzgado de diferentes formas. Fernando Leal, cofundador del muralismo, consideró por su parte que el *sindicato* sólo sirvió para provocar discusiones entre los pintores. Siqueiros, al contrario, defendió que la organización gremial dio plataforma organizativa e ideológica al movimiento artístico. Orozco, quizá el más equilibrado, afirmó que, sin tener importancia alguna, el Sindicato sirvió de bandera a las ideas que venían gestándose tiempo atrás y que se basaban en las teorías socialistas contemporáneas.

Lo cierto es que el sindicato, de vida breve, fue sin embargo una forma de recopilar y esclarecer las ideas que se estaban desarrollando en el momento. Constituyó un punto de referencia.

En 1924, Siqueiros regresó a Guadalajara consagrado definitivamente como líder insustituible. Con el apoyo de su amigo y entonces gobernador Zuno, realizó diversas obras en las dependencias públicas del estado. Allí trabajó en otro programa de murales en la Universidad de Guadalajara, en donde diseña las figuras del Aula Mayor.

Hombre de acción, en 1925 decide abandonar la pintura para dedicarse de lleno a la organización sindical y política de los trabajadores, y por ese camino llega a convertirse al poco tiempo en el dirigente de la Federación Minera y de la Confederación Obrera de Jalisco. Fue el animador de las heroicas huelgas que estallaron en las minas de Cinco Minas, La Mazata, Piedra Bola, El Amparo y Las Jiménez, luchas que se libraron en condiciones muy difíciles en plena «guerra cristera», donde bandadas al servicio de los patrones extranjeros asaltaban los locales sindicales y mataban a militantes destacados.

En 1926 se convirtió en dirigente sindical y político de extrema izquierda, organizando sindicatos obreros, dirigiendo algunas huelgas, acudiendo a reuniones y congresos en Montevideo, Buenos Aires y Nueva York. En 1927 viajó a Moscú para participar en los festejos del décimo aniversario de la Revolución Soviética y participó en el Congreso Sindical de Montevideo. No obstante el enorme trabajo político y sindical que pesaba sobre sus hombros, participó en la Primera Exposición Colectiva de Grabadores Mexicanos organizada por Fernando Leal en el Pasaje América en Nueva York, en el año de 1929.

El deterioro de la situación económica de México en el lapso de 1925 a 1928, se debió fundamentalmente a la reducción de la producción de empresas petroleras extranjeras, que empleaban esta medida como una forma de presión contra el gobierno del general Calles. Éste se enzarzó en dura disputa con ellas y la situación se tornó tan grave que el país estuvo al borde de la ocupación de la zona petrolera por tropas norteamericanas. El entonces general Lázaro Cárdenas, comandante de la Zona Militar de las Huastecas, recibió instrucciones para volar e incendiar los campos petroleros en caso de desembarco de las tropas extranjeras.

La devaluación de la plata frente al oro, las reformas agrarias impuestas por el gobierno, la baja producción petrolera y minera, la desorganización del sistema bancario, débil e incipiente, una política hacendaria basada en el severo control del gasto público y rígido manejo del presupuesto, agravaron las tensiones sociales que se venían arrastrando desde la Revolución mexicana.

La magnitud de los peligros forzó el retorno del general Álvaro Obregón a la vida política, pero no logró evitar la sublevación del 2 de octubre de 1927, de una parte de la guarnición de la capital al mando del general Héctor Ignacio Almada y los brotes fácilmente dominados en las ciudades de Veracruz, Pachuca, Torreón, Tuxtla Gutiérrez, Zacatecas y Nuevo Laredo.

Dentro de este marco y otros factores de perturbación, sucedió el asesinato del general Obregón. En medio de esta situación tan fluida, de cambio constante en la correlación de fuerzas, la posición del Partido Comunista era de franca oposición al Gobierno, singularizada especialmente por la huelga ferrocarrilera de 1926-1927, inducida en buena medida por los propósitos de reajuste de personal y la injerencia de agentes de la CROM en las organizaciones gremiales ferrocarrileras. La falta de flexibilidad de la dirección sindical determinó la derrota de los ferrocarrileros y un profundo malestar en los medios obreros.

En el partido comunista luchaban dos tendencias: una postulaba la necesidad de contribuir a la creación de un gran frente nacional de lucha contra el imperialismo y la reacción y la búsqueda de alguna forma de alianza con las fuerzas gobernantes que se oponían al desmembramiento de la Confederación Regional Obrera Mexicana (mayoritariamente conformada por el proletariado) y, consecuentemente, a una mayor división del movimiento obrero. Postulaba la alianza de éstos con la organización campesina. La otra tendencia, que consideraba ya desde entonces agotadas las posibilidades de la Revolución mexicana y naturalmente peligrosa la alianza con cualquier sector gubernamental, demandaba la constitución de un movimiento sindical independiente y el establecimiento en México de un régimen socialista. Esta segunda corriente venció a la primera y David Alfaro Siqueiros, que figuraba destacadamente en ella, pasó a dirigir la Confederación Sindical Unitaria de México (CSUM), afiliada a la Internacional Sindical Roja. La CSUM se formó con diversas organizaciones regionales controladas por los comunistas y agravó la división del movimiento obrero.

Lejos de reforzar esa política al Partido Comunista, lo aisló de la mayoría del movimiento obrero. La CSUM comenzó a perder rápidamente sindicatos. La Liga Nacional campesina, cuyo máximo dirigente era Úrsulo Galván, rompió sus relaciones con dicho Partido. La represión encontró notablemente debilitado el movimiento comunista.

El crack financiero de 1929 le movió el piso a mucha gente. En el Distrito Federal Diego Rivera y su entonces esposa, la pintora Frida Kahlo, recibieron en su casa ese año a Siqueiros y a su nueva esposa, la poeta uruguaya, Blanca Luz Brum. La amistad continuó creciendo entre discusiones artísticas y políticas. Pero la llegada del militante comunista ruso Trotski a México, no sólo perturba a la Revolución rusa, también generó desconcierto en la vida cotidiana de las dos parejas. La crisis económica genera un descontento popular en el que se sumerge Siqueiros, no sin correr riesgos de cuidado.

El 1 de mayo de 1930, bajo el gobierno provisional de Portes Gil, Siqueiros fue detenido e internado en la penitenciaría del Distrito Federal, el Palacio Negro de Lecumberri, acusado, entre otras cosas, de «disolución social». Estando en prisión, Siqueiros realiza obras con técnicas variadas de dibujo (entre ellas óleo y litografía) que reafirman sus facultades como artista de firmes y variados recursos plásticos y de una sólida formación ideológica. A pesar de las condiciones paupérrimas en la cárcel, pintó una serie de pinturas a la que llamó *Retablos* y creó su famoso cuadro de la *Madre Proletaria*.

En la *Madre Proletaria*, la vehemencia del dibujo acentuado en el rostro de la mujer, el énfasis puesto en el rostro del niño, el contraste entre los relieves y las concavidades, así como entre las sombras y la luz, constituyen un paso notorio hacia ese verdadero «programa estético» que constituye su obra posterior de *Retrato de María Asúnsolo bajando la escalera,* de 1935, del cual hablaremos en su momento.

Verdadera obra maestra, *la madre campesina* muestra ya las facultades de artista creador que sabe imprimir a su creación un profundo contenido humano sin atentar en lo más mínimo contra los valores poéticos que constituyen su esencia como obra de arte. La madre caminando sola, por el desierto, en el afán de salvar al hijo moribundo que ella abraza, es en sí terriblemente dramática, pero los saurios enhiestos, que se yerguen verticalmente en el inhumano arenal, bajo el cielo rojo, de fuego, son afirmaciones de un destino inexorable.

Entre 1930 y 1931, Orozco estudió en Nueva York en *la New School for Social Research*. Aquí desarrolló murales de temas promarxistas, ideas que surgieron durante la Depresión y que iban adquiriendo más fuerza entre los diferentes círculos de artistas a lo largo y ancho del país. El lema era «comunidad sobre el individuo». La influencia que los muralistas mexicanos tenían sobre los intelectuales norteamericanos durante esos años era notable. Vieron en el trabajo de Rivera, Orozco y Siqueiros un ideal de reformar el arte centrándose tanto en la existencialidad del ser humano como en su cotidianidad; un antídoto ideal para combatir los rezagos de la Depresión.

Capítulo VII

— Del Palacio Negro de Lecumberri a Taxco —

Las rejas se convirtieron en una posibilidad
creativa insospechada. Taxco le daría al pintor
tanto temas como posibilidades creativas.

E N noviembre de 1930, el Gobierno del recién electo presidente Ortiz Rubio, lo confinó al pueblo de Taxco, Guerrero. En los límites del pueblo se levantaban invisibles murallas que no debía trasponer sin permiso del alcalde. Era el precio por su relativa libertad, la condición impuesta para dejarle salir de la penitenciaría del Distrito Federal.

Ahí conoció a William Spratting, un expatriado norteamericano que residía en Taxco y que se dedicaba al impulso de la industria de la plata, amén de ser un excelente coleccionista y comerciante de arte prehispánico, y quien se convirtió en su apoyo financiero y proveedor de materiales para realizar su obra.

El pintor respiraba de nuevo, la monotonía de la cárcel quedaba atrás. Pero aún le agobiaba su situación financiera, no tanto por él, sino porque a su cargo estaban Blanca Luz Brun y su bebé, a quien había acogido como a un hijo.

Durante este periodo realizó más de cien obras de caballe-te de tamaño monumental y de tema social, usando técnicas novedosas como el yute y los aglutinantes sintéticos.

Siqueiros gustaba de relatar algunas de las anécdotas que dieron vida a algunos de sus cuadros pintados durante esta época. El cuadro de *La mujercita* —después adquirido por Charles Laughton— nació bajo circunstancias llenas de «ternura». Estando trabajando en su estudio de Taxco, una señora cam-pesina de setenta años aproximadamente entró por su puerta para pedirle que la retratara, con el fin de que pudiera ser vis-ta por sus hijos, estuviese ella en casa o no.

Era tan hermosa y tan interesante aquella mujer, que el ar-tista la hubiera pintado de todos modos, pero, siguiendo el de-seo de ésta, le preguntó cuánto podía pagar. La viejecita sin dudar respondió «lo que sea». Así fue como Siqueiros le puso el precio de tres pesos a condición de que le dejara pintar uno más para él. La señora se presentó puntualmente todas las ma-ñanas y al finalizar pagó tranquilamente el monto convenido. Cuentan que después no salía de su asombro, pues muchos turistas, mexicanos y extranjeros, le ofrecían cantidades muy superiores a la que ella pagó por su retrato, pero nunca quiso venderlo.

La última vez que Siqueiros pudo ver la pintura, contem-pló el retratito en el mismo lugar que le había sido destinado desde el primer día; por cierto, le puso un marco muy feo, de esos de fotografía iluminada.

También recordaba aquella mañana en la cual una voz ati-plada se dirigió a él diciéndole: «Señor fotógrafo, venga usted conmigo, mi papá quiere que retrate usted a mi hemanita que se murió ayer, porque mañana temprano tenemos que ente-rrarla.» Era un niño campesino que le hablaba desde lo alto de su potranca. El pintor ensilló su caballo y siguió al muchacho. Al llegar a la morada, Siqueiros se encontró la siguiente escena: En una silla de las habituales del campo mexicano, toda ella vivamente policromada, estaba colocado, en postura natural, el cadáver de una niña como de dos años y medio de edad, vestido verde claro y con un pequeño sombrero rosa en la cabeza. Su hermanita mayor, de pie, abrazaba al cuerpo inerte con naturalidad, como si se tratase de materia caliente y viva. En torno a ella, los parientes comentaban animados si la colocación de la criatura muerta había sido bien lograda por su papá. Una vez que todos estuvieron conformes, un viejo, quizá el bisabuelo de la niña, se dirigió a Siqueiros y le pidió que la fotografiara.

El artista no tuvo más remedio que decirles que su procedimiento era más retardado, pero que el resultado sería mejor. Tendría que hacer un dibujo a lápiz, colorearlo con acuarelas y llevarlo a su casa para hacer un cuadrito al óleo. Después de varias semanas, más de treinta familiares se presentaron en el estudio para convenir la paga del retrato, mismo que les parecía muy bonito. Siqueiros quiso regalárselo pero ellos no sólo se mostraron inconformes, sino ofendidos. Al pintor no le quedó otro recurso que ceder y cobrar la suma más baja de su vida por un retrato.

Años más tarde, la obrita de *La niña muerta* fue expuesta en una gran sala de Los Ángeles, California. Cuenta Siqueiros que se convirtió entonces en tema de escándalo cuando, ante varios críticos y aficionados, una señora representante del sur racista de los Estados Unidos lo abordó, preguntándole si los mexicanos eran tan salvajes como para hacer retratar a sus niños muertos y los pintores tan sádicos como para ejecutar tales encargos. Siqueiros con una voz tan sonora como la de ella le respondió: «Es, en efecto, muy primitiva la costumbre de retratar a los niños muertos, como si estuvieran vivos. En algunas zonas lejanas de las ciudades de México se practica esa costumbre, que por otra parte fue también griega. Pero en todo caso ha de saber usted, señora, que es mucho más salvaje y brutal asesinar negros vivos.» Sus palabras provocaron aplausos en la mitad de los asistentes y la precipitada fuga de la otra mitad.

Durante esta época realiza *El accidente en la mina*, óleo de 1931, el cual parece ser una prolongación vital del fresco de la Preparatoria *Entierro del obrero sacrificado*: tres obreros que procuran transmitir a su compañero muerto su dolorosa solidaridad. Sin embargo, este óleo tiene más dinamismo, más potencialidad, más vida.

No deja de ser sintomático que en la misma época de cuadros «escultóricos» y «realistas», pero no exentos de «idealismo», como el de Emiliano Zapata mirando hacia el futuro que imaginaba, haya pintado Siqueiros un *Paisaje del Trópico*, totalmente abstracto, y el *Retrato de una niña muerta*, a la manera ingenua de los retratos que pintan en los pueblos.

Su primera exposición individual —a la que asiste a pesar del impedimento legal de abandonar la ciudad de Taxco—, tuvo lugar en el Casino Español de la ciudad de México en 1932; allí, pronuncia un discurso agresivo contra «los pintores que sirven a la burguesía ramplona y a los artistas que la sirven realizando un arte de *mexican curius*». En esta conferencia, David se declara en contra, no de las escuelas de pintura al aire libre, pues él había sido miembro de las primeras en 1914, no se opone a que haya oportunidades de formación estética para los muchachos de origen humilde, sino a que se considere enseñanza superior de arte a los métodos que se utilizan en educación para niños. Para 1932, cuando él ya había aplicado en sus obras el cinetismo, la poliangularidad, el aprovechamiento de los espacios, el análisis y la experimentación con materiales y herramientas, además de una serie de aspectos novedosos, le resulta inconcebible que se eduque incluso sin mirar hacia adelante, sin aplicar las metodologías avanzadas, sin un espíritu de búsqueda.

Entusiasmado con el éxito que obtiene, Siqueiros «reconquista» por *mutu proprio*, el derecho a vivir y actuar políticamente en la capital del país.

Entre los años de 1932 a 1934, José Clemente Orozco pintó en Dartmouth College, Hannóver, New Hampshire, un mural que representaba el desarrollo de la civilización estadounidense desde sus orígenes. En el mural de 3.000 pies cuadrados, se respira libertad y espontaneidad de estilo.

Capítulo VIII

— Los primeros murales exteriores —

A nuevo lenguaje corresponden
nuevos vehículos de expresión.

En 1932, mismo año, y bajo la presidencia del general Plutarco Elías Calles, es expatriado por actividades políticas ilegales y se exilia, junto con su esposa Blanca Luz Brum, en los Estados Unidos, adonde fue invitado por Millard Sheets, para realizar distintas exposiciones e impartir clases de muralismo en la Chouinard School of Art.

Al llegar a Los Ángeles tarda poco tiempo en convertirse en el fetiche de las galerías de Hollywood, por donde pululan artistas extravagantes y nuevos ricos relacionados con el mundo del espectáculo. Siqueiros se convierte en un divertimento de feria, mientras pinta murales en las mansiones de Marlene Dietrich, Katherine Hepburn y Josef Von Sternberg. Siqueiros relataba que con frecuencia le llamaban a sus reuniones, sin importar la hora, para comprarle cuadros a precios descomunales.

En Los Ángeles realiza tres murales: *Mitin obrero* en la Chouinard School of Arts, *América Tropical* en Olvera Street, del Plaza Art Center, y *Portrait of Mexico Today*, en la casa particular de Dudley Murphy. El artista, conociendo el detonador contenido de su obra, no mostraba el diseño global, sino partes que se iban trabajando a similitud de un rompecabezas.

El mural *Mitin obrero* (pintado en el tiempo récord de dos semanas), en el cual se representaba a un grupo de hombres con los brazos cruzados y las cabezas inclinadas escuchando a un orador comunista situado al frente, fue borrado poco después, por haber incluido en el tema a personas de color, además de haber plasmado un discurso eminentemente político.

El galerista de moda F. K. Ferenz le encargó un mural con temas del trópico americano, para la fachada del Plaza Art Center. Tendría treinta metros de ancho por nueve de alto. *América Tropical (Opressed and destroyed by the imperialist),* situado en una calle con mucho movimiento, le permitió ir adelante con su tema social: representa a la América oprimida y destrozada por los imperialistas, en el centro está crucificado el aborigen, sobre cuyo martirio se yergue el águila imperial. En el extremo derecho del muro, un campesino mexicano y otro sudamericano se asoman en medio de la selva, entre ídolos y restos de antiguas edificaciones, con los fusiles listos para el ataque. La inauguración del mural había convocado a autoridades y prensa. El alcalde y representantes de numerosas asociaciones civiles se quedaron impactados con la obra y solicitaron de inmediato que el arte mexicano se restringiera a los barrios latinos. Según Siqueiros, éste fue el primer mural de la modernidad realizado en el corazón del Imperio del Dólar. El tema era una provocación callejera, atentando contra el *American Way of Life*. Siqueiros, y después Rivera (Rockefeller Center en 1933), tocaron in situ, con sus «monotes», el talón de Aquiles del sueño de la democracia: *The American dream*.

Ferenz fue obligado a tapar el mural con una capa de pintura blanca, como ya había ocurrido con *El mitin obrero,* para acallar su sentido. Del mismo modo fue destruido a piquetes el mural que Rivera pintó en el Rockefeller Center. Ahora *América Tropical* es objeto de los esfuerzos de rescate a cargo del Instituto de Conservación Getty y del Pueblo de Los Ángeles Historic Monument. Se plantea que la restauración del mural que Siqueiros dio por irrecuperable, se realizará en cinco fases.

Portrait of Mexico Today corrió con mejor suerte, ya que fue pintado en los muros interiores de una estructura semiencerrada en el jardín de la casa de Murphy, quien lo cuidó como también lo hicieron los sucesivos dueños de la propiedad.

En Los Ángeles, Siqueiros fue presentado a Dudley Murphy, amigo del cineasta ruso Sergei M. Eisenstein, que había conocido al muralista en México y era gran admirador de su obra. Murphy puso su casa a disposición de Siqueiros para exhibir su obra de caballete. Miembros prominentes de la comunidad fílmica fueron invitados a comprar sus trabajos. En agradecimiento, el artista ofreció pintar un mural en la estructura del jardín de Murphy. Sus asistentes fueron Fletcher Martin, Luis Arenal y Reuben Kadish.

La forma arquitectónica del pórtico determinó la conformación del mural. La larga pared central contiene la pintura principal. Allí, dos campesinas mexicanas «angustiadas» están sentadas sobre o cerca de una pirámide escalonada. Entre ellas se para un pequeño niño. A su izquierda está el general Plutarco Elías Calles, a quien Siqueiros ha retratado como traidor de la Revolución, mediante la imaginería de bolsas de dinero a sus pies y su cara expuesta, de la cual se desprende una máscara que cuelga de su cuello.

Con la figura de Calles «dialoga» un retrato de perfil del financiero estadunidense J. P. Morgan pintado en la pared izquierda. De acuerdo con Diana C. du Pont, curadora del arte moderno y contemporáneo del museo, «las imágenes y su proximidad revelan el interés de Siqueiros en abordar las relaciones entre México

69

y Estados Unidos a principios de la década de los 30». Abunda: «En el corazón de esa relación entre ambos países estaba el petróleo. México deseaba conservar su soberanía sobre el petróleo, mientras que Estados Unidos quería que el Gobierno mexicano protegiera los derechos de propiedad de los negocios petroleros estadunidenses que operaban en México.»

Entre los retratos de Morgan y Calles, Siqueiros colocó dos obreros asesinados: la sangre chorrea de sus bocas. Sobre la pared derecha y adyacente a una ventana, con una contraventana de madera —parte de la estructura original—, Siqueiros pintó la imagen de un soldado comunista, en cuclillas con su rifle.

Al identificar la Revolución mexicana con la rusa, Siqueiros llama la atención a la manera en que Calles manejó las relaciones de México con la Unión Soviética. Activo en apoyar un creciente movimiento obrero dentro de México, Calles afirmó que, como se dirigía a las quejas populares, no había necesidad de una fuerte presencia comunista dentro de México. Con el tiempo, Calles rompió relaciones diplomáticas con la Unión Soviética y así dio gusto a grupos dentro de Estados Unidos, preocupados por la actividad comunista en México.

Portrait of Mexico Today (*Retrato del México actual*) es hoy el único mural intacto de David Alfaro Siqueiros en Estados Unidos. Éste fue donado al Museo de Arte de Santa Bárbara, California, y se exhibe de forma permanente al público junto a los murales restaurados de *Tropical America* y *Street Meeting*.

Para trasladar este mural de 9,76 metros de largo por 2,44 metros de altura, de Los Ángeles a Santa Bárbara, un equipo integrado por especialistas en conservación, arquitectos, ingenieros estructurales y diseñadores de exteriores, diseñó y fabricó un soporte de acero: se le «encerró» al crear una cuarta pared, además se cubrió con una *piel* de fibra de vidrio. Para esto el mural, ya limpio y estabilizado, fue cubierto con un revestimiento de cyclododecane, sustancia cérea que se desintegra sola. Dicha unidad fue alzada con una grúa y colocada en un camión especial para el viaje. La operación duró un día.

En los tres murales el pintor refleja una postura constante en su obra: el hombre (trabajador, campesino, obrero), en una sociedad industrializada. La innovación de estos murales estribó en la pretensión de romper el estatismo arquitectónico, dando a las imágenes una inestabilidad virtual creadora de vínculos más profundos entre el espectador y la pintura.

En estos murales Siqueiros perfecciona la técnica del fresco moderno realizado a base de una mezcla de cemento y arena, en lugar de la mezcla de cal y arena que constituye el fresco tradicional, sobre hormigón y utilizando pistola de aire (airbrush). Así pues experimenta con nuevos materiales, herramientas y métodos de trabajo. El artista dijo entonces: *«La adelantada técnica de los Estados Unidos nos entregó de golpe la conciencia de que toda la técnica, tanto material como submaterial, de nuestros primeros ensayos muralistas es arcaica, y por lo mismo, anacrónica. A nuevo lenguaje corresponde nuevos vehículos de expresión.»*

A lo largo de su estancia en California, Siqueiros formó un equipo de veinte estudiantes (entre ellos estaba un artista desconocido en ese momento, Jackson Pollock), al que llamó el American Block of Painters y enseñó muralismo pintándolo. A partir de este grupo de pintores, el artista empieza a desarrollar sus conceptos sobre el trabajo en equipo, expresando que *«es evidente que la pintura mural, obra de grandes proporciones materiales, no puede ser realizada por un solo hombre; es decir, no puede ser una obra individual, requiere muchas manos.»*

Durante su estancia en Los Ángeles descubre la importancia del mural exterior. Ambos murales eran exteriores y debían establecer los principios de una nueva concepción sobre la obra mural: la relación entre éste, el medio circundante y el espectador. Esto último lo desarrollaría más tarde con su perspectiva poliangular que se apoya en la geometría dinámica, sujeta al movimiento del espectador dentro del espacio arquitectónico.

Estando en Los Ángeles, Siqueiros dictó una conferencia en el John Reed Club, de Hollywood, el 2 de septiembre de 1932, a propósito de los murales *Mitin obrero* y *América Tropical*, en la cual reflexiona profundamente en torno a los nuevos instrumentos de producción pictórica y su correspondencia con el mensaje revolucionario que se intenta imprimir en ambas obras. Con este discurso Siqueiros da inicio a una revisión de los postulados planteados en el *Manifiesto* de 1923.

Aquí transcribimos parte de su texto:

LOS VEHÍCULOS DE LA PINTURA DIALÉCTICO-SUBVERSIVA

Antecedentes

La *Chouinard School of Art* (empresa privada) me encomendó la pintura al fresco de un muro exterior de su edificio central en la ciudad de Los Ángeles. En esa comisión colaboraron conmigo veinte pintores profesionales del sur de California con el carácter de alumnos. Para darle a nuestro trabajo forma orgánica colectiva constituimos un grupo denominado Block of mural painters. Nuestra obra fue terminada en dos semanas (primera y segunda de julio de 1932), no obstante las dimensiones del espacio elegido (24 por 19 pies). Esto pudimos hacerlo debido al uso exclusivo de instrumentos mecánicos. El fresco se compone de veinte figuras y representa un mitin en una fábrica.

Tres semanas más tarde, el director del *Plaza Art Center*, de la misma ciudad, me contrató para pintar otro muro exterior. La extensión de éste era tres veces y media mayor (1.800 pies cuadrados). Su tema es *América tropical*. Realizamos este fresco en veinte días por las mismas razones que nos capacitaron a concluir el anterior en dos semanas, y adquirimos mayor experiencia en el uso de nuevos medios para la producción plástica.

El procedimiento usado, sin antecedentes en la pintura monumental, nos permitió sacar experiencias que consideramos de un gran valor en la transformación radical de la técnica pictórica y, por lo mismo, el principio de un nuevo sentido de la plástica que está en consonancia con la naturaleza social y científica de la época moderna.

Esta convicción nos impulsa a hacer públicas tales experiencias, con la seguridad de que serán mis camaradas, los pintores ideológicamente revolucionarios, quienes sacarán mejor provecho de ellas, pues muestran con claridad la profunda conexión que en el arte tienen hasta ahora el fondo y la forma; esto es, la convicción y los medios adecuados para expresarla; es decir, las ideas y el lenguaje que las exterioriza justamente.

Procedo así también porque esas experiencias constituyen una formal adaptación a la técnica pictórica del presente periodo de ilegalidad revolucionaria y a la técnica pictórica de la actual y de las futuras dictaduras del proletariado. Son experiencias útiles para la lucha subversiva de hoy y adelantos técnicos de la nueva sociedad humana que ya llega.

Hacia la revolución técnica de la pintura

¿En qué consiste concretamente la transformación o revolución técnica de la pintura?

73

¿Cuáles son las conexiones de esa revolución con la pintura dialéctico-subversiva?

Los instrumentos de producción musical han evolucionado enormemente a través de la historia del mundo. Los elementos o instrumentos de edificación han sido radicalmente transformados. Por el contrario, los elementos de producción pictórica profesional o «artística» no solamente no se han modificado o multiplicado, sino que se han empobrecido y limitado a través del tiempo.

En este punto Siqueiros reflexiona en torno a los elementos e instrumentos anacrónicos, que limitan la producción monumental. Y así, frente a una nueva propuesta en base a la nueva tecnología continúa hablando:

(...) el Block of mural painters está usando ventajosamente los modernos elementos e instrumentos de producción plástica que la ciencia y la mecánica moderna aportan. Para el Bloque los modernos elementos e instrumentos de producción pictórica representan una reserva de inmenso valor para la propia esencia de la plástica y para la pintura política de agitación y propaganda revolucionarias. Son el único vehículo posible para los pintores de convicción marxista y, en general, para aquellos que hayan sido estremecidos por la vida actual.

Cabe resaltar la percepción que el pintor parece tener, en ese momento, de la pintura mural mexicana, haciendo una analogía entre los elementos de producción anacrónico y sus resultados en términos de la producción pictórica:

(...) A instrumentos y elementos anacrónicos corresponde una estética anacrónica. El renacimiento mexicano es un ejemplo: pretendió ser moderno y es arcaico; pretendió ser monumental y es pintoresco; pretendió ser proletario y es populista; pretendió ser subversivo y es místico; pretendió ser internacionalista y es folclóricamente chauvinista; inició su marcha hacia la revolución y fue a parar al oportunismo estética y políticamente más contrarrevolucionario. ¿Las causas? ¿Falta de ideología revolucionaria? Sí, también; pero lo principal fue la carencia de una técnica adecuada. Pruebas: en la primera época de ese renacimiento los generadores de él teníamos cosas revolucionarias que decir, nuestra teoría era revolucionariamente justa, pero no la pudimos expresar convenientemente porque no supimos encontrar el lenguaje adecuado. Olvidándonos de que nuevas condiciones sociales exigen medios correspondientes de expresión plástica, bebimos exclusivamente en fuentes arqueológicas o francamente opuestas.

Y así continúa hablando de aquellos elementos modernos que sirven de apoyo en la fase creativa de la composición pictórica:

La cámara cinematográfica y la fotográfica deben ser usadas como elementos iniciales para diseños previos desarrollables posteriormente en forma plástico-pictórica. El boceto o apunte fotográfico es para el pintor sólo un documento gráfico-social, o plástico-social, pues en esencia la pintura es por completo ajena a la fotografía como expresión plástica. Ambas tienen un papel plástico concreto que jugar. La fotografía puede parecerse tanto a la fotografía como se asemeja a la escultura; esto es, en que las dos tienen naturaleza representativa, pero nada más. Sin embargo, nada puede darle al pintor de hoy el sentido esencial de los elementos dinámicos y subversivos de la época moderna, como el documento fotográfico. Nada puede enseñarle mejor la naturaleza claramente objetiva, precisa, material, recortada de los seres y las cosas que lo circundan. Sin documento vivo, sin el documento irrefutable, que es el documento fotográfico, el pintor moderno no conseguirá sacar una sola gota de la verdad plástica nueva que vive intensamente en el relámpago mecánico y en el torrente de las grandes masas agitadas por la final lucha de clases. (...)

Durante su estancia en Los Ángeles realizó una exhibición en la Galería Stendahl. En 1933, por cuestiones políticas desatadas a partir de los fuertes mensajes revolucionarios en los murales de Los Ángeles, las autoridades de inmigración no le renovaron la visa, impidiéndole permanecer más tiempo en Estados Unidos. Fue obligado a dejar el país, pidiendo exilio en Uruguay.

Capítulo IX

Que el espectador sea un personaje más
del mural, que su estancia no sea pasiva,
que se vea envuelto en una burbuja óptica.

E N 1933 después de una breve estancia en Montevideo, Siqueiros viaja a Argentina, invitado por la escritora Victoria Ocampo, promotora de la cultura en Buenos Aires, y por la Asociación Amigos del Arte para dar algunas conferencias. Siqueiros llegó a Buenos Aires, ciudad que se deslizaba vertiginosamente hacia la modernidad, fenómeno que provocó el frenesí de unos y la inquietud de otros. Siqueiros actuó como elemento desestabilizador; trajo consigo todos los atractivos que lo hacían irresistible: era un prestigioso artista cuyo talento ya no se discutía y a los éxitos artísticos se sumaba su romántica fama de joven revolucionario. Su actividad política le había deparado una vida turbulenta de exilio en exilio y de cárcel en cárcel.

La izquierda intelectual de Buenos Aires fue seducida inmediatamente por este triunfador que traía el firme propósito de movilizar las conciencias y provocar un cambio cualitativo. Tenía treinta y nueve años. Con una capacidad innata para irritar a cualquier audiencia, Siqueiros alborotó a la intelligentzia argentina con una propuesta irreverente: invitó a los artistas vernáculos «*a sacar la obra de arte de las sacristías aristocráticas, para llevarla a la calle, para que despierte y provoque, para liberar a la pintura de la escolástica seca, del academicismo y del cerebralismo solitario del artepurismo, para llevarla a la tremenda realidad social, que nos circunda y ya nos hiere de frente*». La vanguardia argentina soportó el golpe durante la primera conferencia de Siqueiros, pero sus propuestas provocaron tal escándalo que la tercera conferencia del ciclo previsto se prohibió. Sin embargo, el público se agolpó en la Galería Signo para poder escuchar lo que el artista tenía preparado para su tercera conferencia. Al día siguiente la polémica se transcribió textualmente en los diarios.

La prensa reaccionaria se alarmó ante las afirmaciones de Siqueiros. El periódico *Bandera Argentina*, por ejemplo, se ocupó recurrentemente de él y de los artistas argentinos que lo acompañaban, llegando a producirse un debate virtual entre los medios que apoyan y los que rechazan a este grupo de artistas y a sus ideas.

Dada la centralidad del Salón Nacional, también Siqueiros dio su opinión sobre la institución y desde allí aprovechó para hacer una crítica radical del sistema de las artes instituido. Dos medios de comunicación argentinos se expresaron así ante tal acontecimiento:

«Un acontecimiento, una opinión» fue uno de los títulos del diario *Crítica* del 20 de septiembre de 1933. «El Salón sólo nos muestra obras malas», continúa. Luego, las preguntas y afirmaciones de Siqueiros:

«¿Hay capacidad, valores personales, entre los expositores del XXIII Salón de Bellas Artes que se inaugura mañana? Los hay y muy grandes. Sin contar a Lino Enea Spilimbergo, que es en mi concepto el más grande pintor argentino de todos los tiempos y uno de los más grandes pintores del mundo actual, Juan C. Castagnino, Miguel C. Victorica, Raquel Forner, por ejemplo, son pintores de gran capacidad y de gran fuerza. Son pintores personalmente dotados. Pero nada conseguiríamos con medir termométricamente los valores personales aislados. Tampoco debemos perder el tiempo hundiéndonos en un análisis químico-plástico de las obras. Esa ingenua pedantería se la dejamos a los críticos profesionales que muy bien representa don José León Pagano. Lo que nos debe interesar a nosotros es lo que puede ser útil para el descubrimiento de la naturaleza social que exhibe el XXIII Salón de Artes Plásticas en su conjunto, en su conexión con las realidades históricas del momento actual, en su contacto con las inquietudes ideológicas de la época. Es necesario que conozcamos la naturaleza del ambiente en que se han producido y también del aparato burocrático que les da publicidad y las premia. (...) El XXIII Salón de Artes Plásticas revela con violencia la descomposición del régimen capitalista. (...) Revela de manera evidente el desconcierto reinante en los sectores intelectuales. (...) Exhibe también los miserables métodos plástico-pedagógicos reinantes. (...) las peores obras del actual Salón son, precisamente, las de los "ilustres maestros" que fungieron como Jurado y los cuales no pudieron dar el Primer Premio a Lino Spilimbergo más que obligados por la presión que sobre ellos ejerció la masa estudiantil de Artes Plásticas. (...) El XXIII Salón muestra el vacío infinito que aparece cuando falta el engranaje sólido de la convicción social en la obra plástica. (...) Los camaradas escultores que exponen en el XXIII Salón viven lamentablemente al margen del tremendo drama social que nos circunda. (...) Para la inmensa mayoría de los compañeros expositores nada parece significar la existencia de 50.000.000 de desocupados hambrientos en el mundo entero. Nada significa para ellos la heroica lucha que libra actualmente la clase trabajadora en el mundo entero contra la opresión y la tiranía del sistema capitalista.(...)»

En otra nota del 21 de septiembre de 1933, Siqueiros calificó a la pintura que se exhibía en el Salón como:

«(...) una expresión de obras imitativas de gente snob» (...) «predomina allí el sentido pintoresco y el "buen tono"»; al referirse a los pintores tradicionales, señaló: «En cuanto a los otros, los murciélagos de museos, las momias de las academias, los enfermos incurables, ellos pagarán su chatura con la comprensión tardía y violenta de la miserable pequeñez de sus esfuerzos. Sus obras serán simplemente el espejo de la decadencia capitalista. (...)».

Frente a tan violentas expresiones, vertidas en el diario *Crítica*, desde el diarioo *Bandera Argentina* respondieron diciendo:

«El melenudo Siqueiros, decorador del diario *Crítica* anda suelto por la ciudad y se torna a veces sumamente peligroso. A raíz de la apertura del XXIII Salón Nacional, el pintor comunista (...) se confesó por centésima vez sectario comunista y al opinar sobre el salón nacional se caracterizó como siempre por ignorar el arte y confundirlo con el plan quinquenal y la G.P.O.V. rusa, sociedad terrorífica del soviet, y promovió su deseo de propagar el comunismo por la Argentina. (...) Siqueiros anda suelto predicando la barbarie y la desconsideración hacia la gente civilizada. (...) Su analfabetismo y su prédica disolvente lo consignan como a un extranjero peligroso. (...)».

El contraste entre ambos textos permite visualizar algunos aspectos de la tensión entre política y estética vigente en el campo artístico argentino hacia los años 30. El avance del fascismo y la necesidad de adoptar una posición en un mundo que crecientemente se polarizó obligando a artistas e intelectuales a definirse y producir sus obras en este sentido.

En otros medios la reacción no se hace esperar y los titulares adversos tienen este tenor: *«Un gran asco, los monigotes de Siqueiros».* Engendró apasionadas réplicas, en favor o en contra, ríos de tinta y alborotos espectaculares que se sucedieron sin cesar desde su llegada. Para criticar o para ensalzar, nadie se abstenía de participar en ésta polémica en la que unos se sintieron conmovidos y otros agraviados. En esos años los corazones aún latían aceleradamente con los grandes discursos totalizadores, el espíritu de la época estaba plasmado en esta frase del poeta González Tuñón: *«Yo los invito a conquistar el porvenir.»*

La presencia de Siqueiros funcionó como catalizadora del propósito de numerosos artistas de hacer un «arte para las masas».

Tal escándalo provocó que el gobierno del general Justo decidiera entonces meterlo preso. El periódico *Crítica* (el primer diario moderno y progresista de la Argentina, donde se inauguraron los cronistas especiales, el «periodista estrella», para quien se fletan aviones y crea una nueva modalidad de la escritura periodística) se había mostrado interesado en la visita de Siqueiros. Su propietario, el excéntrico Natalio Botana (un uruguayo que con veinticinco años fundó el periódico), no perdió tiempo cuando se enteró de que el muralista mexicano andaba en apuros.

Botana era un multifacético y discutido personaje que inexplicablemente no le ofreció los muros de su diario para realizar su obra, sino un escondido sótano de su fastuosa residencia en las afueras de la ciudad. Villa Los Granados era una casona de 1.300 metros cuadrados (dentro de un terreno de 18 hectáreas), guiada por las coordenadas de la arquitectura colonial, con cerámicas sevillanas y decoración árabe, motivos que habían fascinado al empresario durante un largo viaje por España. Los interiores de esta casa constituían un repertorio del nuevorriquismo más vulgar: arañas con setenta velas en techos saturados de relieves; sistemas de complicados micrófonos y parlantes que comunicaban las pajareras del jardín con la cama del dueño de la casa, imitando los sonidos de un despertador; chimeneas, patios y puentes con ríos, todos en estilos incompatibles. En estos escenarios ofrecía Botana fiestas pantagruélicas, en una de las cuales hizo coincidir al hijo de Mussolini con el fundador del Partido Comunista Argentino, Victorio Codovilla. La casa, según Pablo Neruda, que fue junto con García Lorca uno de sus huéspedes, era la encarnación de un nuevo rico.

Le ofreció un trato justo: pintar su primer mural en un espacio interior (un bar en el sótano) a cambio de alojamiento y alimentación. Sin opciones, Siqueiros aceptó a regañadientes: «Ese mural es el fruto forzoso de nuestra condición de asalariados», escribió en aquel momento. Existían razones reales para que el pintor mexicano se sintiera aprensivo ante el encargo, más allá de las objeciones ideológicas. En la casona de Natalio Botana vivía recluida la esposa del empresario, Salvadora Medina Onrubia, que era vidente, parapsicóloga, escritora, pintora, lectora de novelas policiacas y manuales espiritistas. Ella le había confesado a su primer hijo que su padre no era Botana. El joven enloqueció y se pegó un tiro. De manera casi inmediata, la mujer se volvió morfinómana y adicta al éter. Ese era el entorno que rodearía a Siqueiros a la hora de trabajar en su mural.

La mitología alrededor de Botana podría abarcar varios tomos de una biografía irrepetible. Aseguran que abastecía a la redacción de cocaína para soportar (o enriquecer) las tensiones del cierre; que apoyó primero el golpe de estado de Uriburu y luego exigió la restitución democrática con el general Justo; en fin, que obligaba a los políticos a negociar en su mesa de redacción. Quienes lo conocieron, establecen similitudes entre Botana y Hearst, el empresario norteamericano de los medios de comunicación que inspiró a Orson Welles en *Ciudadano Kane* (1941). Aunque resultan diferentes de muchas maneras, ciertas paralelas se tocan en sus vidas. Botana no sólo dirigía uno de los periódicos más vendidos de la época, sino que era el dueño de Estudios Baires, cuna de la edad de oro del cine argentino.

De ningún modo podía desconocer Botana los principios fundamentales del muralismo mexicano, que fueron escritos por Siqueiros y publicados en su propio diario. «Vamos a producir arte en los muros más visibles, en los costados descubiertos de los altos edificios, en los lugares estratégicos.» ¿Por qué le ofreció el espacio más inadecuado para pintar un mural y por qué aceptó Siqueiros una geografía tan hostil? No se puede conjeturar que tuviese necesidades económicas, ya que acababa de cobrar por los murales de Los Ángeles una suma considerable de dinero. Pero se podría pensar que Botana no quiso involucrarse en la guerra desatada por Siqueiros entre los sectores reaccionarios y los de izquierda, o acaso fuera el extravagante capricho de un magnate todopoderoso. Curiosamente, en la extensa bibliografía que existe sobre *Ejercicio Plástico*, no se encuentran respuestas. Hoy ya nadie puede revelar el misterio.

Al igual que había ocurrido en procesos previos en Estados Unidos, Siqueiros desdeña el trabajo individual y convoca a los artistas argentinos para realizar un auténtico trabajo colectivo. Buscó un grupo de artistas locales (Berni, Castagnino, Spilimbergo y el uruguayo Lázaro) para que le acompañaran en la producción del mural. Siqueiros y la troupe que lo acompañaba experimentaron por primera vez con pinturas sintéticas (piroxilina y silicato) y pistolas de aire, elementos que convirtieron ese mural en imborrable. La idea era «quebrar el estatismo arquitectónico» del sótano.

Ejercitando la creatividad Siqueiros creó una visión algo etílica, como la de estar parado en el centro de una burbuja transparente en el fondo del mar. El espectador queda atrapado, el paisaje y los personajes que lo habitan ocupan entonces un espacio exterior e infinito. Talentosa transgresión que brinda como resultado una amplitud ficticia que el soterrado lugar no posee. Generó un orden diferente en el sótano, alterando y modificando la topografía del terreno. Se permite una única pausa a las exigencias ortodoxas del movimiento muralista mexicano, que demanda una temática comprometida con la problemática social del proletariado, de orientación subversiva. A los límites del sótano les impone el ejercicio pleno de la libertad. El efecto de la obra acabada es el de las ambientaciones que recién adquieren fama en la década de los 60, ya que no produce la situación de distancia entre el espectador y la obra que crea el mural tradicional.

Esto se tradujo en una serie de cuerpos femeninos, desnudos, que se deforman y fusionan a lo largo y ancho de las paredes, techos y pisos. La musa era Blanca Luz Brum, esposa de Siqueiros, quien posó desnuda dentro de un cubo transparente para ser fotografiada. Después proyectaban sus imágenes en las paredes como bocetos.

Siqueiros encaró con la vitalidad que le caracterizaba su «primer mural monumental interior». Los doscientos metros de superficie enterrada presentan serias dificultades de composición debido a su forma semicilíndrica, que decide pintar en su totalidad: el piso, las paredes y el techo abovedado.

Con respecto al tema elaborado, alejado de todo idealismo revolucionario, Siqueiros comenta: «*(...) en una lejana y aislada residencia privada, es una obra que no posee ideología revolucionaria y que carece de beligerancia política, ya que en ese ámbito no cabe tal cosa*».

Esta experiencia es el origen del movimiento muralista argentino y son Spilimbergo, Castagnino, Lazaro y Berni los que pintan los murales de las Galerías Pacífico, en pleno centro de Buenos Aires. Sin embargo, Berni disiente de Siqueiros, que considera que la pintura de caballete debe desaparecer. La opinión de Berni es que el fenómeno muralista mexicano no se puede crear en otro país sin esa situación sociopolítica tan particular, donde era el gobierno quien ofrecía los muros de sus edificios a los artistas. «Tal es así —concluye Berni— que el propio Siqueiros, con su enorme prestigio, tuvo que adaptarse en la Argentina a las condiciones objetivas existentes y terminó pintando un mural en un subsuelo.»

Los materiales y técnicas de avanzada empleados para ejecutar *Ejercicio Plástico,* acordes con las ideas progresistas de Siqueiros, ocupan un lugar protagónico. Los artistas cambian el pincel por el aerógrafo, el boceto por la fotografía y el cine, el óleo por las resinas sintéticas y el banco académico, que otorga un punto de vista arbitrario, por la trayectoria lógica que recorre el espectador. Su entusiasmo por estas nuevas técnicas contribuyó a que el mural fuera pintado rápidamente, pero lo realmente importante es que la resistencia de los materiales empleados —la piroxilina y el silicato— fue decisiva para el destino de la obra. Pintado con técnicas ortodoxas, el mural no hubiese sobrevivido a las terribles agresiones que sufrió posteriormente. Esta suntuosa propiedad cambiaría de dueño años más tarde con el mural incluido, por supuesto, y sus nuevos propietarios hacen tapar las «indecencias» de los desnudos, al mejor estilo de «Il Braguettone», quien cubriera las «obscenidades» del Juicio Final de Miguel Ángel. Otras peripecias tuvieron lugar posteriormente cuando para destacar los rostros deciden barnizarlos. Incluso, por motivos inexplicables, se intentó borrar la obra con ácidos y al resultar imposible destruirlo fue tapado íntegramente con cal por uno de sus sucesivos dueños.

Los desnudos personajes podían observarse en todo su esplendor. Figuras incrustadas por medio del escorzo, puños apretados, pies rotundos que se aplastan con fuerza, sensuales cuerpos femeninos ondulantes que aprietan sus senos, sus vientres, sus piernas, ejerciendo la mayor presión posible contra su límite, el muro. Todas la figuras miran fijamente al virtual espectador con la intención evidente de desestabilizarlo e integrarlo, creando un efecto movilizador, de placer o repudio, como queda demostrado al conocer la historia de las vicisitudes del mural. El objetivo de Siqueiros, al menos en parte, se ha cumplido.

Él escribiría dos años más tarde: *Ejercicio plástico* «es una pintura monumental dinámica para un espectador dinámico». «Al fin entendimos que la geometría no es un asunto muerto sino vivo, por el carácter ambulatorio del espectador. La plástica tridimensional vino a ser una tangible semilla y no una abstracción cerebral. Una estructura polifacética nos dio la materialización del fenómeno. La múltiple superposición de formas completó la estructura. Ahora estamos capacitados para crear una verdadera transcripción de la naturaleza activa, ocular y humana.»

Lo que seguramente nunca imaginó es que la inquietud que provoca el juego de las miradas y la sensualidad de los desnudos incitaran a destruir la obra.

Buenos Aires es un lugar difícil para Siqueiros. Borges define a los argentinos como europeos en el exilio y en realidad es difícil entender esta cultura de mezcla. Pero es evidente que

Ejercicio plástico fue para Siqueiros una experiencia muy significativa si se leen los numerosos escritos que le dedicó posteriormente; incluso se manifiesta plenamente confiado que su valor intrínseco rescatará al mural de su «chaleco de fuerza» y de la oscuridad.

El diario *Crítica,* en su número del domingo 24 de septiembre de 1933, entrevistó a Spilimbergo por el Premio Nacional de Pintura que acababa de recibir. El diálogo se produce «ante los magníficos frescos que en colaboración con David Alfaro Siqueiros acaba de pintar» —señala el reportero y agrega—, «sorprendemos a Spilimbergo en plena labor, dando los últimos toques a una gran figura». Señala la experiencia desarrollada en la quinta de Botana como «una de mis experiencias decisivas».

El empresario mantuvo la casa de Villa Granados hasta 1941, cuando falleció en un accidente de automóvil: su Rolls Royce se desbarrancó en el norte argentino. El imperio de Botana no tardó en venirse abajo como un castillo de naipes. Las tierras de Villa Los Granados fueron parceladas y un político local, Álvaro Alsogaray, compró la casa. Su esposa se escandalizó con el mural que había en el sótano y exigió que lo frotaran con ácido y lo taparan con cal. No deseaba que sus hijas descubrieran semejante vulgaridad.

En 1988 un grupo de socios funda la empresa Seville. Han leído *Muralistas mexicanos* y se enteran de que el Instituto Getty recuperó los murales tapiados de Siqueiros en Los Ángeles. Advierten un negocio en puertas. Y compran la parcela de la casa. Sólo les interesa el sótano. Contratan a la empresa mexicana Restauro y a un estudio de ingeniería, para rescatar el mural. Tardaron quince meses. Removieron la cal, cavaron el sótano, redujeron el espesor de las paredes de sesenta centímetros a dos centímetros. Lo cortaron en siete partes para convertirlo en una muestra itinerante. Los socios de Seville viajaron a la isla Robinson Crusoe, frente a Valparaíso (Chile), en el archipiélago Juan Fernández. Hasta allí había derivado Blanca Luz Brum, cuando se decepcionó del amor de Botana, y abrió una posada. Encontraron a Beche Brum, su hija, quien vendió cartas, bocetos, dibujos y demás papeles de Siqueiros que Blanca jamás había abandonado.

Asfixiados por las deudas, los socios venden toda la investigación y el mural —mutilado en siete partes— por 820.000 dólares a la empresa Dencanor. Después piden la quiebra. Los acreedores de Seville solicitan medidas cautelares sobre las piezas del mural que no se han entregado aún. Consideran que ésta es la única vía para cobrar las deudas. Dencanor alega que compró el mural y que todos los días pierde fortunas, al rechazar invitaciones de museos de Berlín, Nueva York, París y la ciudad de México, en el momento preciso del centenario del nacimiento de Siqueiros.

En posesión de dos dueños irreconciliables, *Ejercicio plástico* se ha convertido en una obra invisible. Hoy se encuentra en un ominoso *corralito* de acero y cemento, sin que pueda ver la luz, ser exhibido ni preservado como corresponde.

Al parecer, seguirá ahí indefinidamente gracias al veto de la Ley N.º 25.534 aprobada por el Congreso Nacional, por la cual se declaraba «de interés histórico-artístico nacional» al mural. Para la Academia Nacional de Bellas Artes dicho veto significó el fin de una larga lucha para salvar la obra, que se encuentra bajo cautela judicial (para tomar una foto de cualquier motivo del mural hace falta una autorización judicial que no se consigue en ninguna parte) y, desde 1992, encapsulada en cinco contenedores al aire libre, en medio de una sorda lucha de intereses y litigios que parece no tener fin.

En marzo de 2001, el juez de la nación Juan Manuel Gutiérrez Cabello viajó a la localidad de San Justo e inspeccionó los contenedores depositados en una playa de grúas de

Don Bosco. Lo que encontró preocupó a Cabello: no había condiciones mínimas de resguardo ni los instrumentos necesarios para conservar una temperatura estable entre los 18 y 21 grados, tal como exige la preservación de las obras de arte.

Luego, en una mesa redonda organizada y coordinada por Rosa María Ravera, presidenta de la Academia Nacional de Bellas Artes, se mostraron las fotos tomadas ese día y los ingenieros que hicieron el desguace de la obra admitieron la existencia de humedad y posibles daños. Entre los presentes se encontraba Américo Sánchez, entonces director del Museo Diego Rivera, de la ciudad de México, que no pudo disimular su disgusto.

Víctima de turbios manejos, se trata de definir, entonces, si esta obra esencial de la historia de la pintura mural latinoamericana merece formar parte del patrimonio artístico de los argentinos o ser enviada a algún museo que desee albergarla en mejores condiciones, sea cual fuere su estado.

El mundo se fue olvidando de esta obra que permanece escondida. Ni su fuerza expresiva, ni su indudable valor estético e incluso económico lograron desenterrarla. Los solitarios personajes horadan el vacío con sus ojos, buscando esos ojos que no los miraron y esos mensajes que no se cruzaron. Sin espectadores que brinden sentido a la creación, el mural provoca la angustia de un destino que no se cumplió.

Aunque Siqueiros se cansó de repetir que había pintado esta obra sin bocetos, existe uno en la sala de la casa del argentino Chiche Gelblung, quien lo heredó de su abuelo, miembro del Partido Comunista Argentino y amigo personal de Siqueiros durante los años en que vivió en Buenos Aires. En algún lugar del universo el muralista mexicano debe divertirse con la vida absurda de *Ejercicio plástico,* un mural que fue pintado para nadie.

Después de tres meses de encierro forzoso y agotado por la intensidad del trabajo, al terminar el mural Siqueiros sintió la necesidad compulsiva de cambiar de aires. Se presentó en un mitin del Sindicato de la Industria donde lo arrestan e inmediatamente lo expulsaron de Argentina. El artista se fue solo, porque en el trance de pintar el mural su esposa, Blanca Luz Brum, se enamoró de Natalio Botana.

Capítulo X

«Busco un nuevo realismo que será la suma de
todos los aportes del pasado y del presente,
inclusive los aportes subjetivistas del arte moderno,
esto es, un nuevo realismo humanista».

SIQUEIROS regresó a Estados Unidos por una temporada corta y en 1934 volvió a México para asumir el puesto de presidente de la Liga Nacional contra el Fascismo y la Guerra.

La discrepancia política entre Rivera y Siqueiros se desató ese mismo año con la publicación del artículo «El camino contrarrevolucionario de Rivera» en *New Masses,* en el que Siqueiros tomó como punto de partida el *Retrato de Norteamérica,* que Rivera había pintado en el Centro Rockefeller, para describir a éste como bohemio, esnob, oportunista, pintor de millonarios. Dijo que Rivera había sido responsable de la búsqueda de muros apropiados y que había escogido *«precisamente aquellos que estaban más alejados del tránsito de las masas»*; que había *«idealizado la función política de la población indígena e impulsado el culto a lo indígena folclórico-arqueológico».*

Decía Siqueiros que *«lo único importante para Rivera era seguir siendo muralista, no le hubiera importado vender su alma por ese motivo y precisamente eso sucedió. El trabajo como simpatizante era todo lo que podía lograr Rivera. Nunca obtuvo experiencia en el trabajo con los sindicatos. Nunca participó en las luchas cotidianas de la clase obrera. El Partido Comunista no podía utilizarla para nada más, además de firmar manifiestos. Por lo único que era capaz de entusiasmarse era por sus sucesos espectaculares. Por ese motivo no fue ni será nunca otra cosa más que un aficionado en el arte revolucionario».* Rivera dejó el partido y explicó después que era más radical que el partido mismo, es decir, trotskista. Atacó así en la prensa burguesa al comité central del Partido Comunista Mexicano. Finalmente —según Siqueiros—, obtuvo como premio a su claudicación la dirección de la Escuela Nacional de Artes Plásticas.

Como parte de su crítica a Rivera, Siqueiros señaló que, en forma paralela a la penetración imperialista, llegó a México un verdadero auge turístico; los turistas encontraron en Rivera a su pintor por excelencia. Se abrieron las puertas al *mexican souvenir painting*, una posibilidad comercial de comprar pequeñas pinturas que poco a poco desplazarían a la pintura mural.

A partir de las ideas aparecidas en la polémica surgió un deseo de renovación y, a principios de 1934 se fundó la Liga de Escritores y Artistas Revolucionarios (LEAR), que logró reagrupar a los artistas que habían participado anteriormente en el sindicato y a otros tantos que se vieron conmovidos. Incluso artistas que se encontraban el en exilio participaron. De nuevo se planteaba como meta el apoyo al movimiento revolucionario del pueblo por medio de su arte. Para eso era necesario discutir las tesis planteadas por Siqueiros y tomar partido.

El 28 de agosto de 1935 Siqueiros pronunció el discurso *«Las artes y su papel revolucionario en la cultura»*, en cuya culminación se levantó Diego Rivera exigiendo su derecho de réplica. Estaba claro que no sólo se trataba de una discrepancia personal entre dos artistas rivales, sino una discusión de cuestiones políticas y artísticas, que movilizó al país entero. Pronto cientos de personas acudieron al local del sindicato de panaderos, donde los artistas polemizaron durante una semana. Tal fue el alcance social, que los informes de estas discusiones aparecían en las primeras planas de los diarios. Finalmente, los participantes lograron ponerse de acuerdo en algunos puntos. La conclusión final del encuentro fue que la pintura mural mexicana había servido más como un instrumento ideológico y político a los intereses demagógicos del Gobierno, que a los intereses de los campesinos y obreros en México.

La Liga de los Escritores y Artistas Revolucionarios reaccionaba en contra de la obra de Rivera, excluyendo de sus exposiciones su *mexican curious painting,* como ya se le conocía. Esto a su vez tuvo como consecuencia la participación de críticos en el debate; hubo quienes opinaron que el arte no tenía nada que ver con la política y que la exclusión de la obra de Rivera era un exceso. Por su parte, Rivera se alejó bastante de LEAR, dejando que otros miembros se hicieran cargo de traducir en hechos las conclusiones sacadas de la discusión, es decir, fundar un taller gráfico que pudiera crear arte para el pueblo independientemente de la política gubernamental.

También otros grandes pintores de la época, como Orozco, Chávez Morado y O'Gorman, opinaron. De ellos, fue José Clemente Orozco quien se opuso de manera más firme a Rivera, al criticar que pintaba motivos «pintorescos» para agradar al turista. Nadie insultó más a Diego que Orozco, así lo demuestra la cantidad de adjetivos que le dedicó. Son en verdad el sarcasmo más sangriento, la burla más feroz que se pueda imaginar. Pero la crítica más despiadada a Diego la hizo Siqueiros en el citado artículo para el *New Masses,* que por cierto después convirtió en conferencia en Estados Unidos y aquí en México. En su afán por descalificar a Rivera, niega el muralismo, convoca a no hacer obra monumental para el estado burgués, pero, siendo francos el mismo Siqueiros continuó realizándola hasta sus últimos días para el mismo gobierno que lo encarcela. Una cárcel muy tolerante a veces y otras muy dura. Es asombroso como un gobierno cómo el de Ávila Camacho, no de izquierda, haya arropado tanto a Siqueiros.

Durante el transcurso del agitado año de 1935, Siqueiros realiza obras que valen, simultáneamente, por su calidad plástica y por lo que en ella aporta de algo realmente novedoso. Una de esas obras en el antes mencionado *Retrato de María Asúnsolo bajando la escalera,* en la cual sintetiza, a manera de un programa estético, lo que serían más tarde los puntos fundamentales de su productividad como creador, técnico e innovador. La idea de movimiento, sugerido por la falda y por el impulso hacia delante de la mujer caminando; la luz fulgurante, en contraste con la sombra que ella misma irrumpe; la barroca contraposición del relieve y de la concavidad: todo ello anuncia al pintor de las formas voluméticas que en el *Cuauhtémoc contra el mito,* en *Nuestra imagen actual,* en *El Coronelazo* y en su obra maestra del Hospital de la Raza se proyectan hacia el espectador —vuelto actor— que la pintura materialmente «toca y sacude».

En 1936 Siqueiros dejó una vez más su patria a causa de los problemas de carácter político y social en los que se vio envuelto, y se instaló en Nueva York, en donde, junto con Luis Arenal y Roberto Verdeció, creó el taller-escuela al que llama *Siqueiros Experimental Workshop (Laboratory of modern techniques in art),* que más tarde sería relacionado con el Partido Comunista. Ubicado en el número 5 Oeste de la calle 14, justo enfrente de la progresista New School for Social Research, el Taller

Experimetal fungía tanto como un estudio para la realización de trabajos por encargo (generalmente de fines políticos), como un «un laboratorio de técnicas modernas del arte» y en él se exploran las posibilidades de las nuevas herramientas, las pinturas industriales, la fotografía y las técnicas del azar. Se ensayaban las posibilidades de empleo de barnices sintéticos de uso corriente, se probaban nuevos soportes y mezclas de materiales como arena, tornillos, etc.; se inventaron técnicas manuales y mecánicas de vertido y de goteo; se utilizaba la pistola neumática para aplicar el color y se trabajaba con proyecciones fotográficas, fotomontajes y plantillas. Los experimentos con pinturas y materiales se realizaban según el «principio de accidente controlado» y se investigaba una «perspectiva cinética», cuya misión era dotar de dinamismo al cuadro.

Es aquí donde profundiza sus concepciones del espacio, del movimiento y de una perspectiva que correspondiera a esas inquietudes y fenómenos ópticos. Trabajó también con el fin de definir un estilo realista de temática política radical para la creación de murales y carteles. Entre sus alumnos se encuentra el famoso artista Jackson Pollock, quien había participado con Siqueiros en los murales de Los Ángeles.

En este periodo Siqueiros realiza obras tan importantes como el *Nacimiento del fascismo, Suicido colectivo, Explosión en la ciudad, La niña madre* y uno de sus vigorosos y penetrantes autorretratos. Estas obras ponen de manifiesto el cambio radical que se había operado en el pintor realista, y simultáneamente abstracto, de *Los elementos,* al pintar una década más tarde el cuadro *Explosión en la ciudad.* En primer lugar destaca su capacidad de anticiparse a los tiempos venideros, con el descubrimiento de una bomba (la atómica), capaz de destruir con un solo impacto la ciudad. Por otro lado, este cuadro, como otros de la misma época, constituye un valioso testimonio acerca del lenguaje plástico —energético, elocuente, terrífico—, inventado por el artista para expresar uno de los más trágicos dramas que la «civilización» depararía en el siglo XX al mundo entero.

El artista pudo haber pintado casas ardiendo, calles destruidas, niños llorando, pero su opción fue la de la ciudad como un punto en la inmensidad del orbe, toda envuelta en llamas y arriba (en un cielo sin límites), una nube colosal, cargada de formas pétreas y de cuerpos monstruosos, que amenaza con destruir todo.

No es extraño que en su obra de entonces palpite el movimiento de los futuristas que, durante su estancia en Italia, lo habían conmovido tanto en cuadros como *Los funerales del anarquista Galli*, de Carrá; el *Dinamismo de un automóvil,* de Russollo; *El estado de ánimo,* de Bocconi, o *Viva Italia*, de Balla; pero Siqueiros supo imprimir, sobre todo a los más originales de sus cuadros, la impronta de la materia que tanto le había arrebatado.

En *El nacimiento del fascismo*, que muestra el mar tempestuoso provocado por el *fascio* de Mussolini, logra Siqueiros convertir todo en un oleaje infernal y en crestas de espuma acribilladas por explosiones de materia, luminosas, donde el pintor es el primero en divisar sorprendido, paisajes de un mundo más justo y bello.

Siqueiros reflexiona en torno a este hallazgo hecho en su propia pintura en una carta enviada en 1936 a María Asúnsolo (Merita, como él la llamaba), descubrimiento al cual después llamó «Accidente controlado»: *«Se trata del uso de lo accidental en la pintura... de un método especial de absorciones de dos o más colores superpuestos que al infiltrarse el uno en el otro producen fantasías y formas mágicas... algo sólo parecido a la formación geológica de la tierra, a las vetas policromas y multiformes de la tierra. A la integración de las células... En fin, la síntesis, la equivalencia misma de la creación toda, de la vida. Hay en esas ab-*

En la penitenciaría de Lecumberri, 5 de marzo de 1961. Foto Héctor García.
Archivo CENIDIAP-INBA.

Siqueiros con Angélica Arenal, ca. 1945. Archivo CENIDIAP-INBA.

Siqueiros con Pablo Neruda y Diego Rivera, 1947.

Con Angélica Arenal y la hija de ella, ca. 1940. Colección Sala de Arte Público Siqueiros, INBA.

Siqueiros con el comandante Juan B. Gómez durante su participación en la Guerra Civil española, 1937. Archivo CENIDIAP-INBA.

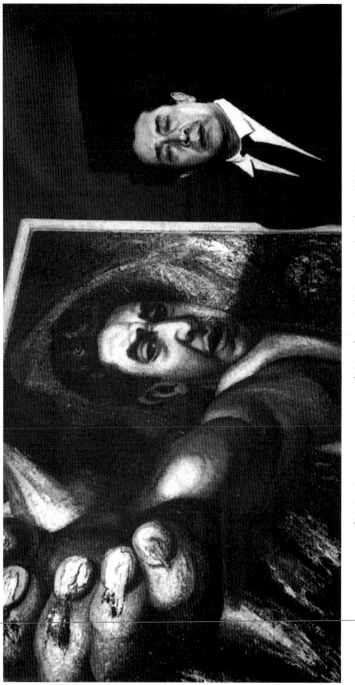

Siqueiros junto a su autorretrato «el Coronelazo», 1945. Fonoteca de Pachuca, INAH.

Siqueiros atrás del cuadro «El nacimiento del Fascismo», 1955. Archivo Juan Guzmán.

Siqueiros junto al mural «Alegoría de la igualdad y fraternidad de las razas blancas y negras» (destruido. La Habana, Cuba). Archivo CENIDIAP-INBA.

sorciones las formas más perfectas que puedas imaginarte. Caracoles como los del mar, de formas infinitas, moldeadas con una perfección increíble; formas de pescados y monstruos que sería para nadie crear directamente con los medios antiguos de la pintura... y sobre todo, un dinamismo tumultuoso, de tempestad, de revolución física y social que a veces causa pavor...».

Ese «Accidente controlado» sirvió más tarde a Jackson Pollock como estímulo estético para crear esa rama de expresionismo abstracto norteamericano que es o fue la *Action painting*.

El *Taller experimental* fue para Siqueiros el instrumento novedoso que se aduó a su temperamento, liberó su fogosidad, le permitió operar con la grandilocuencia hasta el límite mismo de su eficacia.

Capítulo XI

El campo de batalla le llama.
Si la causa fuera una, la pintura bastaría.

ENTRE 1937 y 1939 abandona la pintura para participar junto con otros mexicanos en la Guerra Civil Española luchando al lado del Ejército de la República, en contra del ejército que se había conformado con las fuerzas de Mussollini y Hitler. Alcanzó, después de tres años de lucha, el grado de teniente coronel, jefe de diversas brigadas. Debido a tal rango sus amigos y contemporáneos lo llamaron «El Coronelazo».

Pudo, como lo hicieron muchos otros y en forma honrosa, convertir su obra pictórica en arma de lucha contra la invasión nazi-fascista de la cual era entonces víctima la República española; pero Siqueiros no vaciló. Con el heroísmo de que había dado muestras en los frentes de batalla de la Revolución mexicana, se entrega, en España, en cuerpo y alma a la tarea de defender la libertad.

Durante más de dos años ejerce esa, para él mismo, *misión sagrada*, poniendo muchas veces en riesgo su propia vida, hasta que el triunfo del fascismo lo integró a su normal actividad.

La experiencia en España no incitó a Siqueiros a expresar la epopeya y las tragedias vividas en obras pictóricas alusivas. Al contrario, ese gran tema de la lucha heroica y de la derrota que asoló a la humanidad progresista parece haber dejado en el artista una especie de niebla intelectual. Aunque es cierto que uno de sus cuadros pintados a su regreso a México en 1939, *Postrado pero no vencido*, responde en cierto modo al pensamiento de los que aceptaron la derrota con hombría. Pero el cuadro dista mucho de encorajar a nadie. El antiguo luchador yace en el suelo, y las formas del conjunto, pretendiendo ser vigoroso, son blandas. Ningún derrotado que vea esta obra puede encontrar en ella un aliento vital para proseguir, aunque sea por otras rutas, el combate.

De nuevo en México e integrado a su misión de artista revolucionario, el excombatiente de la República española concibe un mural que de acuerdo a sus experiencias anteriores debería ser realizado en forma colectiva y bajo su dirección, por un equipo del cual formaban parte los refugiados políticos de España: José Renán, Antonio Rodríguez Luna, Miguel Prieto; los mexicanos Luis Arenal y Antonio Pujol y los naturalizados mexicanos Fanny Rabel y Roberto Berdecio.

Es en 1939 cuando Siqueiros logra pintar su primera obra completa en la capital de México, en el Sindicato Mexicano de Electricistas, denominado *Retrato de la Burguesía*. La pintura realizada en el cubo de la escalera central cubre tres tableros verticales y el área del techo. Demasiado pequeño para un tema que tanto espacio reclama, el *Proceso del Fascismo*, como al principio se le llamó, se subdivide en innumerables personajes y episodios que convierten el todo en caóticos torbellinos, donde la multitud absorbe y nulifica al individuo, la máquina al hombre, el dinero a las virtudes humanas.

Desde el punto de vista técnico, marca otra etapa en el trabajo del pintor, a través del dinamismo. La composición fue planteada como una unidad semicircular originada por la rotación de un haz de radios y constituye una especie de fotomontaje: fotos de periódicos y revistas que fueron reproducidas para dar a las figuras simbólicas del nazismo, imperialismo, revolución y guerra un sentido preciso que subraya el sentido clasista de una sociedad vista desde una perspectiva consciente y militante como la de Siqueiros. De golpe es un recargamiento de formas y motivos. Una gran maquinaria se alimenta de seres humanos; el militarismo por una parte, el capitalismo por la otra; de esta manera, el esfuerzo por la libertad se contrapone a la figura de un orador con cabeza de loro (en alusión a Hitler o Mussollini), que enseña al auditorio, con su mano derecha, una delicada y poética flor, mientras que con la mano izquierda empuña el instrumento de la traición. Pero el orador no es autónomo: obedece a un resorte que fuerzas superiores a él hacen mover.

Idea, dibujo, oficio; todo pone de relieve los dones de Siqueiros en los más altos momentos de su actividad.

Igualmente extraordinaria es el águila con alas de acero —anticipo de los más terroríficos aviones de las guerras venideras—, de cuyo pico, convertido en agudos puñales, pende un hombre ahorcado. Destacan también de la infinita multitud, que por todas partes hormiguea, el obrero rebelde, empuñando un fusil; los representantes del alto capitalismo que atraviesan con la bayoneta de sus fusiles el gorro frigio de la *Democracia*; los generales nazi-fascistas, cargados de medallas y, como símbolo de la «civilización» capitalista, ocupa el espacio principal una especie de monstruo que vomita, sin cesar, monedas de oro, plata y cobre.

En medio de este amontonamiento de ejércitos, armas, uniformes, monedas, se advierte, al fin, como una esperanza, un cielo limpio en donde resplandece un inmenso sol. Por otro lado, destaca lo multitudinario, en grandes planos cinematográficos, los detalles a que hemos aludido: el águila, el orador, el obrero armado. Detalles que constituyen por sí mismos, obras de gran calidad.

Cabe destacar una de sus obras más importantes de la época, *Etnografía* (1939), la cual es una buena muestra del poderoso talento que corría por las venas de Siqueiros; esta obra presenta la misteriosa y potente imagen de un indígena con el rostro de una máscara olmeca. Con un tratamiento de color casi monocromático, hace uso de su acostumbrado dinamismo en el trazo de los ropajes del hierático personaje; y con un fondo casi abstracto, la máscara prehispánica resalta al ser enmarcada por el sombrero y la camisa de la figura. De esa máscara, se dice, que David Alfaro Siqueiros la conoció dentro de la colección de William Spratling durante su estancia en la cárcel de Taxco. La máscara olmeca, encontrada en una cueva en el estado de Guerrero en los inicios de los años 30, fue el motivo de esta extraordinaria obra de Siqueiros.

Fue alrededor de 1940 cuando surgieron las primeras aficiones mexicanas por el coleccionismo, lo que dio la pauta a un patronazgo artístico inédito en México. Los nuevos aficionados al arte albergaban un sentimiento identificado con el nacionalismo y formaban parte de un peculiar empresariado mexicano que encontró en el proceso posrevolucionario valores desconocidos. Uno de éstos fue la afición por la belleza de lo espiritual que no busca en la compra de arte una inversión a plazo fijo, sino que recolecta una minuciosa selección de afinidades y emociones que se traducen en un tesoro para ser compartido con los demás. Esto, aunado a la creciente producción plástica de los muralistas mexicanos, significó un gran auge; la producción mural estaba en uno de sus mejores momentos.

Durante esta época Siqueiros realizó varias pinturas que se exhibieron en la Galería Pierre Matisse en Nueva York en enero de 1940.

Capítulo XII

— Envuelto en el asalto a Trotsky:
de vuelta al exilio —

*Tiempo de aislamiento,
tiempo de experimentación pictórica.*

COMO mencionamos anteriormente, Siqueiros respondió al llamado del pueblo español y tomó las armas para defender las libertades cívicas y la independencia territorial de la patria. Por ese mismo carácter revolucionario —que tantas otras veces le había llevado por el mismo camino— se deja arrebatar por la polémica que entonces enfrenta a los comunistas del mundo entero contra los trotskistas, y entró la noche del 23 de mayo de 1940, al frente de un grupo de partidarios suyos, en la casa de Coyoacán de León Trotsky, que fuera el líder comunista ruso que organizó el Ejército Rojo y que por esos años estaba exiliado en México.

Frustrada la acción, Siqueiros huyó, pero acusado de pretender liquidar físicamente al coiniciador de la Revolución rusa de 1917, se vio en la necesidad de refugiarse en la Sierra de Jalisco donde al fin, en medio de vicisitudes se le encuentra y aprisiona.

Este acontecimiento, más que favorecer a Siqueiros como un episodio más de su accidentada vida, le perjudica moral e intelectualmente, pues lo involucra en un intento de asesinato contra uno de los políticos más importantes del siglo XX. A pesar de todas las pruebas, Siqueiros negó que su intención y la de sus compañeros fuera la de matar a Trotsky, pues apenas se proponía llevarse documentos importantes. *«Eramos treinta y en casa de Trotsky había cuarenta pistoleros armados que montaban guardia día y noche. Nosotros los atacamos de noche y conseguimos llevarnos la mayor parte de la documentación.»*

Trotsky era considerado por los comunistas un enemigo peligroso para la humanidad; era el partidario de la Revolución rusa, el tránsfuga, que, habiendo vendido el alma al diablo, criticaba, sin escrúpulos, a la Revolución, al socialismo, a Stalin. El teórico de la «revolución permanente», con sus demoledoras críticas a lo «intocable», equivalía, para una parte importantísima de la humanidad, al Satanás de la Edad Media, que todos debían expulsar de su vida y de su mente. Trotsky era ese enemigo que, al criticar a Stalin y al estalinismo —por tanto a la propia URSS— aparecía, como uno de los teóricos de los nazis y del imperialismo, en la guerra que se preparaba contra la Unión Soviética.

Al poco tiempo de su detención, fue puesto en libertad con la condición de dejar el país una vez más. El Gobierno mexicano decide enviarlo a Chile, con el encargo de pintar los murales de la Escuela México en Chillan.

Entre 1941 y 1942 en Chillán, Chile, una ciudad casi destruida en 1938 por uno de los más terribles temblores de su historia, pintó en la biblioteca de una escuela donada por el gobierno mexicano un mural llamado *Muerte al invasor*, en donde incluye los retratos de héroes chilenos y mexicanos que han luchado por la libertad de su patria desde la época de la conquista hasta nuestros días. La obra se compone de dos mu-

ros laterales en los extremos del salón y del plafón. Para crear
una absoluta unidad de esos tres elementos, Siqueiros dio
forma cóncava a los muros, de manera que la transición de
ellos al plafón es casi insensible y las pinturas quedan ligadas
de extremo a extremo. En cuanto al tema, el artista concibió
un proyecto histórico epopéyico: el fluir constante del hombre (chileno y mexicano) hacia la libertad. En uno de los extremos pintó una alegoría de México y en el otro una alegoría
de Chile. En la alegoría de México, el centro lo llena una figura indígena —en gran dinamismo— de espaldas, inclinan-
do su torso hacia atrás para lanzar los dardos de su arco, cuyo
objetivo es una cruz colocada en el techo; mientras a sus pies
yace muerto, con una lanza en el pecho, un conquistador. En
la alegoría de Chile, el vigoroso tratamiento de la figura bicé-
fala y simbólica resulta ser uno de los mejores trozos de la pintura de Siqueiros.

A propósito de este mural, el pintor expresó: «*En el mural
de Chillán he podido también adelantar en el camino que pudiéramos llamar objetivización pictórica de lo subjetivo; la objetivización pictórica de metáforas, lemas, etcétera, hará el arte de
intención política. Cárdenas es el Juárez de su tiempo, por ejemplo, mediante la superposición pictórica, clara, precisa, de ambos
personajes y de sus respectivos temas político-históricos. Igual es la
solución relativa a Bilbao y Galvarino.*»

El énfasis romántico, los escorzos clásicos y la ampulosidad
futurista, precipitados en fórmulas y procedimientos novedosos, que Siqueiros desbordó sin límites en *Muerte al invasor,*
dieron por resultado una unidad originalísima de elocuencia
agresiva. La simultaneidad y la superposición plástica encuentran correspondencia con la simultaneidad y superposición de
significados poéticos y políticos, es decir, forma y contenido
indisolublemente unidos, imponiéndose espectacularmente al
observador, echándosele encima.

Después de su regreso a México, Siqueiros va a Cuba, en donde pinta la obra *Alegoría de la Igualdad racial en Cuba* (1944), elaborada sobre una superficie vertical y un techo cóncavo. En ésta predominan las formas redondeadas y están presentes las figuras simbólicas de las razas, de cuya unión se produce un fuego constante. Temáticamente es sencillo y representa a un personaje mitológico —Prometeo— que desde las profundidades del «cielo» trae el mensaje del fuego; esto es, de la civilización a las razas (blanca y negra), separadas por prejuicios e intereses. Este mural es de particular interés, pues es un temprano anticipo de *Prometeo* entregando el sol, el fuego de la civilización, que Siqueiros pintaría nueve años más tarde en el Hospital de la Raza.

Al finalizar dicha obra, realizó una gira de propaganda por la victoria de las naciones aliadas contra el eje nazifascista, por Perú, Ecuador, Colombia, Panamá y Chile.

Mientras el mundo entero festejaba el término de la Segunda Guerra Mundial, México vivía un auge económico inimaginable en las décadas anteriores. Cuando en la cuarta década del siglo pasado se incrementa la demanda de manufacturas mexicanas, debido a la ampliación del mercado interno y a la escasez temporal provocada por la Segunda Guerra Mundial, la industria eleva su producción.

En este contexto, con la lógica de la política económica, el gobierno de ese entonces se propuso ampliar la base financiera de acumulación de la burguesía, orientar el ahorro hacia actividades productivas, extender fuentes de financiamiento del sector público e impulsar la constitución de un sector financiero, preponderantemente privado.

Esta privatización marcaría la historia mexicana de los siguientes setenta años, pero ésa es otra historia y, aunque no es ajena a la vida de Siqueiros, será contada en otro momento.

Capítulo XIII

— La victoria de la Democracia —

«... un movimiento que no se ha quedado en la teoría abstracta, sino que, desde hace veinte años, viene tocando los primeros escalones de la adecuada práctica».

VOLVIÓ a México a finales de 1944 y fundó el Centro de Arte Realista Moderno, partiendo de la premisa de que el gran periodo artístico mexicano está en decadencia, después de veinte años de intensa producción. Así pues, se inicia un «movimiento de recuperación del programa original del Sindicato de Pintores, Escultores y Grabadores de México (1921-1925) que impulsó el muralismo mexicano, base formal de toda pintura mexicana moderna». El Centro tendría como propósitos, según el artículo que Siqueiros escribió para *El Insurgente*, el 20 de mayo de 1944, los siguientes:

Organizar la defensa global de la pintura mexicana moderna, expresión de la Revolución mexicana en el campo de la cultura, como el movimiento inicial de artes plásticas más saludable del mundo contemporáneo, el de impulso de mayor porvenir, por sus orígenes sociales nuevo-humanistas y por sus proyecciones técnicas nuevo-clasicistas (de nuevo Renacimiento en consecuencia), su sentido monumental y heroico, a la vez que por el correspondiente valor potencial histórico de muchas de sus realizaciones, frente a los crecientes ataques que le lanzan en México y en el extranjero, sus enemigos de otras escuelas o corrientes, de carácter decadente y degradada naturaleza *chic,* de falsa modernidad, como, también, de vergonzante pensamiento rutinario-académico.

Impulsar a la vez (pues sin esto tal defensa carecería de valor constructivo) el urgente paso de esa pintura mexicana moderna a su segunda etapa, su etapa técnico-experimental y de fijación definitiva de su doctrina (la normal etapa inmediata posterior al periodo necesariamente primitivo, puramente emocional e instintivo, el periodo romántico, en el surgimiento de todas las grandes escuelas), que hoy sólo puede serlo la de un arte nuevo-realista, realista-integral, realista-moderno, verdadero en suma, tanto por su destino social, sus formas funcionales, como por su técnica en general, sus fuentes emocionales, su método crítico y, en consecuencia, por su culminación estética. Una segunda etapa promovida, lógicamente, por artistas de conciencia civil, fieles al programa del primer periodo, dispuestos a dar su participación profesional, su donación creadora, a la lucha general actual en el mundo democrático contra el nazifascismo.

Anticipar, así, en ese nuevo esfuerzo de superación, con el ejercicio intelectual y objetivo que tal actitud implica, la teoría y la práctica iniciales del arte que lógicamente debe corresponder, en todos los países, inclusive en Francia, a los Estados de democracia-social, democracia-nuevo-humanista (en todo caso, superior a las primitivas doctrinas, sólo filantrópicas, sólo humanitarias, que pudieron, sin embargo, alumbrar las grandes culturas humanistas, en su tiempo, de la Antigüedad y la Edad Media, como de la «Antigüedad» y Colonia Española de

América), democracia superada, en fin, que se desarrollará progresivamente, sin duda alguna, y cualesquiera que sean las contingencias políticas de la posguerra, en el próximo futuro de un mundo hoy destrozado por la contienda armada.

El Centro Realista de Arte Moderno, cuyas funciones rondarían en torno a un Instituto de Investigaciones Teóricas, un Taller funcional y a un espacio para la Alianza (defensa) profesional de los productores y aprendices de las artes plásticas, estaba instalado en una casa particular que tenía un vestíbulo con un espacio arquitectónico espectacular. Siqueiros no dejó pasar la oportunidad y pintó su gran obra *Cuauhtémoc contra el mito*. En la composición aparecen tres personajes: el conquistador con figura de centauro llevando la espada, la cruz y el rosario; Moctezuma inerme junto a una pirámide, y Cuauhtémoc (que ya en el mural de Chillán se rebela contra el invasor, olvidando que tiene enfrente a un monstruo de cuatro patas montado en un ser «divino») se muestra robusto, con gesto combativo que hiere con su lanza al conquistador.

La lucha es desigual. Cuauhtémoc apenas puede ayudarse con una lanza de corto alcance, en tanto que Cortés multiplica sus fuerzas con las de ese tanque vivo llamado caballo y siembra la muerte —a raudales— disparando, de lejos, sus diabólicos arcabuces.

Cuauhtémoc no puede vencer a esos ejércitos de la muerte, pero deshace el mito de su divina invencibilidad. Demuestra a su pueblo atemorizado que las huestes de Cortés están constituidas por seres terrestres, sin dones divinos de ningún orden. Aun así, Cuauhtémoc no derrota al invasor, pero acaba con el mito. El gigante que cabalgaba sobre un ser veloz de cuatro patas, que vomitaba fuego incendiario y mortal, acabaría por ser vencido y expulsado. La acción está dramatizada con una lucha sin fin, mientras la cabeza del invasor y la del

111

antiguo dios, que están en el suelo, parecen indicar que no hubo vencedores en este combate.

Las formas voluminosas como las del caballo con el enemigo y el color que las refuerza, se imponen a la vista y sacuden a quienes la contemplan; pero encuentran en el espacio aéreo y luminoso de su ámbito el descanso visual necesario para alimentar la continuada emoción.

Este diálogo entre los brazos musculosos del hombre, las patas con herraduras del caballo, la «sangre» que tiñe el cuerpo del no tan invencible adversario, establecen un equilibrio que probablemente faltó en la obra mural del Sindicato de Electricistas.

Por otro lado, la postura de Cuauhtémoc y la del caballo determinan los cambios visuales y el dinamismo que tanto arrebatan en la obra de este gran artista. Esto es particularmente notorio en el brazo con la lanza de Cuauhtémoc que, al proyectarse sobre el enemigo, adquiere la más inesperada de las formas y se multiplica en numerosas lanzas, como si él no fuera sólo él, sino su pueblo entero.

Pintado sobre celotex y triplay —seguramente con la intención de poder cambiarlo de lugar si fuera necesario—, *Cuauhtémoc contra el mito*, después de haber sido arrancado y semidestruido, se halla hoy en un pequeño edificio, construido para exhibirlo, en la unidad habitacional de Tlatelolco.

Siguiendo su carrera política, en 1945, publicó su libro *No hay mas ruta que la nuestra,* que marcó profundamente el ambiente cultural mexicano de la posguerra. Constituido por doce artículos antes publicados en diferentes periódicos y revistas del país, sobre temas biográficos, teóricos y críticos, el libro parecía destinado a alcanzar la misma discreta resonancia que ya había conseguido cada artículo en la prensa.

Pero incitado por el sensacionalismo de los periodistas que atraen la atención del público con «fascinantes» titulares,

Siqueiros dio a su recopilación el provocativo título de *No hay más ruta que la nuestra*.

Por este título, de terrible elocuencia, más que por su contenido relativamente comedido, Siqueiros fue excomulgado.

Efectivamente, el libro no merecía tan monstruoso escándalo: tres semblanzas sobre el Dr. Alt, Orozco y Rivera, un ensayo alrededor de Picasso y un análisis de su mural en Chile constituían, junto con otros artículos acerca del arte mexicano, la esencia de la referida compilación y sólo un artículo, que tenía como secundario el subtítulo *Importancia nacional e internacional de la pintura mexicana moderna*, aludía a la unicidad de la ruta.

Después de referirse a Grecia «como ejemplo de la Antigüedad», Italia «como ejemplo de la Edad Media y del Renacimiento», a la Francia contemporánea «como ejemplo de la época contemporánea» y a la América «con su agudo colonialismo» de hoy, Siqueiros presenta a México como la excepción de un arte que «... *ha tomado la ruta adecuada, que es la ruta objetiva, aquella que busca el nuevo clasicismo. El nuevo realismo, el desiderátum teórico del artista moderno, a través de la reconquista de las formas públicas desaparecidas con la terminación del Renacimiento, en las condiciones sociales y técnicas del mundo democrático...*» (...) «...*un movimiento que no se ha quedado en la teoría abstracta, sino que, desde hace veinte años, viene tocando los primeros escalones de la adecuada práctica. <u>Sin duda la única y posible ruta universal para el próximo futuro</u>*» (subrayado por el autor). Obviamente se trata de una visión muy personal acerca de las formas que ha de adquirir el arte en su marcha hacia el futuro.

Estimulado por el fin de la Segunda Guerra Mundial y la derrota física de los regímenes nazi-fascistas en Alemania, Italia y Japón, David Alfaro Siqueiros crea sus siguientes murales.

Ese mismo año se le encomiendan dos murales más para el Palacio de Bellas Artes. El primero de ellos, llamado *La nueva Democracia* y el segundo, realizado cuatro años después, *Cuauhtémoc redivivo*. Debido a la estrechez del balcón corredor, donde deberían estar situados éstos, Siqueiros creó una composición dinámica para que el espectador lo captara desde cualquier ángulo. *La nueva Democracia* consta de un tablero central y dos adyacentes de menor tamaño. El central está dominado por el torso desnudo de una mujer con el gorro frigio, que refleja en el rostro una especie de éxtasis, y sostiene en sus manos tensas cadenas rotas y grilletes de la esclavitud, mientras que la antorcha de la libertad ilumina el camino. Como complemento de esta obra, el tablero de la izquierda presenta a una *Víctima de la guerra* y el derecho, una *Víctima del fascismo*, esclavo de la opresión. Paralelo a este tríptico, pero del lado opuesto, aparecen dos lienzos movibles y desarmables, sobre masonite y bastidores.

El mural no fue muy bien recibido; para muchos era demasiado obvio; los símbolos de la antorcha y del puño cerrado fueron recibidos como lugares comunes, excesivamente repetidos, y no faltó quien acusara a Siqueiros de convertir la pintura en cartel. En respuesta a estas objeciones el muralista respondió: «... *¿Qué es barroco y qué es mórbido?, ¿qué tiene mucho de cartel?, ¿qué es escultórico?, ¿qué es de tema obvio?... Pues el arte del próximo futuro —y mi mural constituye en ese sentido un anticipo— será barroco o, mejor aún, post-barroco: pues será dinámico, será mórbido, será apasionado y fogoso, será escultórico, pues será vivo, será de tema obvio, si se le quiere llamar obvio a lo anti-abstracto o a lo abigarrado... Será, en su tiempo, con las formas de su tiempo, con el lenguaje de su tiempo, tan obvio, como lo fue el gran arte de la antigüedad y del Renacimiento... hasta el día en que la humanidad conquiste el derecho de producir y poseer un arte esencial*».

La nueva Democracia se enfrentó a un reducido espacio que contribuyó en buena medida a refrenar su tendencia a expandirse; sin embargo, aun cuando la imagen de la mujer con gorro frigio esté desgastada, la metáfora poética de la magnolia en calidad de estímulo a la vitalidad del corazón y al poder del amor es eterna y siempre bella.

Aparentemente antisiqueiriana por su superficie plana, sin accidentes, de una parte de la mujer, la pintura revela el barroquismo de su origen en los volúmenes que pululan por todas partes (puños cerrados, esferas de las cadenas, senos prominentes), aunque en forma más representativa en el lado izquierdo del mural. Dinámico en su composición, lo es en grado sumo por el movimiento del brazo que, al dislocarse, se multiplica visualmente en dos. En este aspecto, el movimiento del puño cerrado que se proyecta, con violencia, hacia el espacio del espectador constituye la prolongación tal vez más madura del experimento iniciado antes por el artista en el cuadro *El Coronelazo* de 1943.

En el mural *Cuauhtémoc redivivo (Resurrección)*, Cuauhtémoc regresa como conquistador con una armadura y un escudo azteca y frente a él un centauro español caído. Respecto al otro mural, *Tormento*, Siqueiros dice que: «*se trata de una alegoría en que represento al emperador como símbolo de la lucha de los pueblos débiles por su independencia. He hecho hincapié en las armaduras, en los caballos, en el perro, en los arcabuces, para recordar cómo el pueblo de desarrollo industrial mayor, domina al débil*».

En la Dirección General de Educación Agrícola (ex Aduana de Santo Domingo, edificio del siglo XVIII) hay un mural inacabado que empezó en la zona de la escalera en 1945, pero que suspendió al año siguiente debido a lo defectuoso de los cimientos del edificio. Siqueiros llamó a su proyecto *Patricios y patricidas* y planeó cubrir cuatrocientos metros cuadrados con una metáfora histórica con diseño barroco, para armonizar con diseño barroco, para armonizar con la arquitectura del edificio. Las figuras de los patricios en un lado y los patricidas en el opuesto; aquellos caen cabeza abajo empujados por unas fuerzas y genios demoníacos. Completó casi la sección norte, que muestra a los traidores de su patria. La composición fue entendida por algunos críticos con la transición en la técnica de Siqueiros en un esfuerzo por lograr un simbolismo, dando mayor importancia a la forma dinámica que al contenido.

Tal vez con la idea de contraponer a la criticada *Nueva Democracia* y a *Patricios y patricidas*, una producción convincente, que no deja lugar a dudas, Siqueiros presentó, en el Palacio de Bellas Artes, en el año de 1947, una selectiva muestra de 70 *obras recientes*.

La exposición constituyó un verdadero éxito ante el público y la crítica, pues Siqueiros reunió en ella a cuadros, tanto de valor estético y sabia realización técnica, como *Nueva Resurrección, Calabazas, Autorretrato con el brazo tendido, El centauro de la Conquista, El diablo en la Iglesia, Pedregal con figuras, Nuestra imagen actual* y otros. Algunos de estos cuadros, como él mismo afirmó, son ideas nuevas para nuevos murales; otros, prolongación de los ya realizados. El *Autorretrato* con el puño cerrado y el brazo tendido prolonga con más audacia el tercer brazo de la mujer que simboliza a la Democracia, en el mural de Bellas Artes, en tanto que *Nuestra imagen actual,* encuentra en el Polyforum su plena realización.

La exposición de 1947 demostró que tampoco todo lo necesario se había dicho sobre el, hasta entonces, controvertido artista. Aquí se puso a prueba la capacidad del pintor para abordar múltiples temas: paisajes, naturalezas muertas, retratos, desnudos y, para hablar en los más distintos temas, el elocuente de la protesta, el tranquilo del ensueño o el inquietante del misterio, y hasta el abstracto que él siempre reservó para las épocas de utopía como *Un claro en la selva* o *Rotación*. Cuadros fascinantes por su materia, relieves, surcos, texturas: plasticidad en su máxima expresión, dentro de un marco profundamente poético.

Algunos de estos cuadros no son sólo proyectos o remembranzas de murales; son también murales, aunque de pequeña dimensión. *El diablo en la Iglesia* (219 x 152 cm) representa el interior monumental de una iglesia, en el cual se observa el lugar de los asistentes propiamente dicho, el coro, las altas columnas y parte de la bóveda; el cuadro es en sí un pequeño mural. El *Pedregal con figuras,* por la petricidad de la materia que el paisaje volcánico evoca, y por sus figuras apenas sugeridas, posee la monumentalidad y el dramatismo de un muro siqueriano. Lo mismo podríamos decir de *El centauro de la Conquista,* que sintetiza en una sola imagen, cargada de potencia vital, la actitud de Cuauhtémoc ante el mito de la «invencibilidad», atribuida a Cortés.

Otros cuadros muestran a un Siqueiros que, partidario del realismo, da rienda suelta a su imaginación, permitiendo que la fantasía poética equilibre la rigidez de la escueta verdad objetiva, como podemos ver en *Cumbres* e *Intertópico.*

Notable igualmente tanto por la capacidad de captar los rasgos fisonómicos del individuo, sin olvidar las particularidades del carácter que el rostro por lo general no sabe ocultar, Siqueiros presentó, en esta ocasión, una espléndida galería de retratos. De ella podemos destacar el *Retrato de la señora de Carrillo Gil,* el *Retrato de Angélica* y dos retratos suyos: el del puño cerrado en actitud de golpear al adversario y el otro con la mirada optimista puesta en un lejano pero deslumbrante porvenir y la mano en actitud de combate contra las desilusiones del presente.

Si alguna duda quedaba en el público y en los críticos mexicanos acerca de las extraordinarias facultades de Siqueiros como muralista y pintor de caballete, el mural *Cuauhtémoc contra el mito* y la exposición de 1947 la disiparon rotundamente.

En ese mismo año participa en la exposición *45 Autorretratos de pintores mexicanos*, en el Palacio de Bellas Artes, en el cual presenta el ya famoso *Coronelazo*.

En 1948 fue invitado a sustentar un ciclo de conferencias sobre «cómo pintar un mural» a un conjunto de jóvenes pintores norteamericanos veteranos de la guerra que, para familiarizarse con nuestro arte, residían temporalmente en San Miguel de Allende, Guanajuato. Siqueiros comenzó a decir que la pintura mural no podía enseñarse ni ser aprendida por medio de conferencias. Estableció entonces la necesidad de formar un equipo de pintores alumnos que, en relación estrecha con el maestro, imaginara un solo tema y procurara, lo más posible, expresarlo en un lenguaje homogéneo. Se escogió como tema el personaje de las luchas por la independencia, nacido precisamente en la ciudad de San Miguel: el capitán general Ignacio Allende. Se procedió a la limpieza de la capa que cubría las paredes y la bóveda de la extensa galería de una sala del antiguo convento de las Capuchinas, ahora Instituto Allende. Se hizo el trazo estructural y cuando se inició la tarea de pintar la obra, llamada *Vida y obra de Ignacio Allende,* comenzando por la pila bautismal y la decoración de la bóveda, la obra se interrumpió para siempre.

Así se frustró, por intrigas, que relata Siqueiros en su libro de *Memorias*, lo que pudo haber sido un valioso experimento del muralismo en México. Sin embargo, el sólo trazo de las paredes y la decoración con zonas planas de color, incitan, por su abstracta belleza, a la contemplación.

Sin embargo, Siqueiros no se dio por vencido en la tarea de tratar de enseñar cómo pintar un mural, y lo que entonces no pudo decir lo publicó en 1951, en su libro titulado *Cómo se pinta un mural.* Sobre la composición dijo entonces: «... *la composición, en la pintura mural, la determina el tránsito normal del espectador en la topografía arquitectónica correspondiente».*

Sobre la perspectiva menciona: «... *todos los métodos tradicionales de perspectiva y composición son falsos, es falsa la perspectiva llamada rectilínea (...) es falsa, por incompleta, la perspectiva llamada curvilínea (...) la sección o "regla de oro", la puerta armónica, el triángulo egipcio, etc., y tantas y tantas reglas que nos trasmitieron los cubistas del periodo "concretista" a través de Diego Rivera son evidentemente falsas, toda vez que se muevan en un cuerpo geométrico concebido como materia o forma estática, es decir, la concepción de un rectángulo real como rectángulo visual, cuando en la pintura mural no es así...» (...)* «*Por ahora no hay método de composición dentro del espacio arquitectónico dado que el de comprobar objetivamente con la mirada la sucesión de problemas y resolverlos con el ojo también. Naturalmente que para este análisis de la forma de la cámara fotográfica, tanto fija como la de cine, son un magnífico colaborador, pero un colaborador aún incompleto por uniocular. En realidad la fotografía acentúa las distorsiones.»* Y continúa adentrándose en el tema del movimiento del espectador: «*Es el tránsito normal del espectador en una superficie dada lo que determina la composición pictórica dentro de la misma.*»

Y como es de esperarse, recurre al tema de los materiales diciendo: «*La pintura, como en todas las artes (artes físicas), los medios plásticos, medios de producción, contienen los aspectos más profundos y elocuentemente poéticos. Buscar lo poético fuera de la materia en las artes es cometer el más grave de los errores. Una materia determinada, como una tierra determinada da sólo su propio fruto formal y su propia forma sub y superformal, o sea su poética.*» (...) «... *lo primero que hace el plástico genial es escuchar y entender bien la voz de sus materiales y herramientas...*»

Continúa hablando del espectador: *«Es espectador activo dentro de la concavidad del mural es el único swich posible para poner en marcha esa máquina arquitectónica rítmica; es la corriente que le da el movimiento necesarios.»* Sobre el movimiento en general nos dice: *«... la manifestación más poderosa del hombre la constituye el hecho de que todos los volúmenes, ya sea los que el hombre circunda o aquellos dentro de los cuales el hombre camina y palpita, se mueven al impulso de su propio movimiento» (...) «Todo se mueve al impulso del movimiento del propio hombre».*

Si bien el intento de enseñar cómo se pinta un mural en San Miguel de Allende fue fallido, el libro *Memorias* resulta compensar, por todos sus valores, el proyecto que se planteó como práctico.

Capítulo XIV

*Crítica a la pérdida del sentido
revolucionario del muralismo.*

DESDE principios de los años 20 la cultura mexicana
había tenido como línea dominante el nacionalismo.
Pero en el curso de esas tres décadas, ese nacionalismo fresco, novedoso y revolucionario en sus principios se
había «oficializado», es decir, había sido tomado por el orga-
nismo político como una bandera conveniente: en consecuencia tendía a contener el contenido crítico que le había
sido característico. Y la política de los gobiernos también se
había modificado mucho durante esas décadas. Por otra parte, una especie de regodeo en el éxito había alejado a muchos
de los pintores de un deseo sostenido de experimentación.

Esas circunstancias, sumadas al mayor aislamiento que la
Segunda Guerra Mundial impuso respecto a los movimientos
artísticos europeos, había dado a la cultura mexicana en general
un carácter de cosa cerrada. El arte no era ajeno a ello, sino que

—quizá más que otras ramas de la cultura— participaba plenamente de ese nacionalismo impermeable. En los años 50 para muchos jóvenes la situación era inconveniente, tanto para su desarrollo personal como artistas como respecto al arte mexicano.

Ya tiempo atrás, Rufino Tamayo se había mostrado inconforme con el ambiente opresivo y había salido a Nueva York, donde su arte, lleno de posibilidades magníficas, había encontrado nuevas formas de desarrollo y una gran aceptación. Los jóvenes no estaban dispuestos a seguir permaneciendo aislados, querían tener el derecho de desarrollar libremente sus personalidades artísticas. Después de la época de la «cerrazón» tocaba el tiempo de la «apertura». La presencia en México de inmigrados europeos, llegados durante o después de la guerra, como Wolfgang Paalen, Alice Rahon, Leonora Carrington, después Mathias Goeritz, influía en su deseo de querer conocer lo que pasaba en otras partes. Muchos de los jóvenes artistas de esta generación parten a Europa o Estados Unidos para adquirir nuevas formas de gestar el arte.

La arquitectura funcionalista en sentido estricto comenzó a hacer crisis en los años 40 y para esta década se buscaban nuevas soluciones. Los arquitectos crean el concepto de «integración plástica», es decir la incorporación de elementos pictóricos o escultóricos en la arquitectura, y buscan la utilización de materiales locales. La Ciudad Universitaria (1949-1954) es la mayor expresión de esa tendencia; pero más adelante hablaremos de ella.

Siqueiros por su parte continuaba su ya constante actualización y experimentación y en 1951, en el edificio de Biología del Instituto Politécnico Nacional, ejecutó el mural *El hombre, amo y no esclavo de la máquina*, cuyo punto central es la figura de un trabajador; su mano derecha señala hacia una máquina, de manera acusadora, y su mano izquierda se ha transformado en un engranaje. Siqueiros expresó a propósito de esta obra: *«El hombre, víctima de sus propios y grandes descubrimientos científicos, se apodera de la energía atómica, la más grande fuerza física del presente y del próximo futuro. Esa fuerza, que ahora se utiliza sólo con fines destructivos, será usada mañana con fines industriales en un mundo de progreso y paz. El vehículo de producción industrial ya no será la máquina que oprime al hombre, al hombre-máquina, sino la máquina-máquina en las manos absolutas del hombre.»*

Entre los años 1952 y 1954, Siqueiros pintó *Por una seguridad completa y al servicio de todos los mexicanos*, en el vestíbulo del auditorio del Hospital de la Raza, del Instituto Mexicano del Seguro Social. El local designado para la realización del mural parecía haber sido imaginado para él: un espacio semioval, donde sólo conservaron su verticalidad una pared de vidrio y un muro que fue cubierto con losetas de cristal negro. De esta manera logró una superficie superactiva, capaz de dar movimiento a todo cuanto se inscribiera en ella.

El arquitecto Enrique Yáñez, amigo del pintor, se había puesto de acuerdo con Siqueiros para que el vestíbulo del auditorio revistiera la forma de una planta paraboloide y la unión de las paredes con el techo se lograra por medio de una curvatura ovoide. Para esta superficie única, sin rupturas ni interrupciones de ningún orden, imaginó Siqueiros un retrato visual que esencialmente respondió a ésta: un *Canto a la vida y a la salud*, como primeramente fue llamada.

Dividida en episodios o grupos formales, relacionados entre sí temáticamente, la pintura representa una alegoría de los efectos de la moderna industria capitalista, representada por rascacielos y engranajes, en el trabajador, única víctima del sistema. Su visión dialéctica proporciona al pintor la posibilidad de desarrollar la idea de «el espíritu de la revolución»: *«Tres obreros miran cómo su camarada muerto es conducido por una banda de producción en serie, el genio de la revolución aparece entre ellos. Por otro lado, una columna de mujeres y otra de hombres representan la nueva sociedad proclamando solidaridad, paz, justicia y coraje.»*

Entre ambos grupos y proyectándose desde el horizonte hacia el espectador, se ve la figura de Prometeo (una vez más), que lleva en la mano, para entregarlo al hombre, el fuego de la creación y de la vida. En el otro extremo del mural, otro grupo constituido por obreros e intelectuales (entre los cuales aparece un médico) camina heroica y triunfalmente hacia la libertad.

Sobre el grupo formado por el obrero muerto y sus tres compañeros se yergue un edificio monstruoso (tal vez nido de las grandes desigualdades sociales) y dos rascacielos que se unen, en la cumbre, con las torres del Kremlin, la Pirámide de México y la pagoda china. En lo alto, finalmente, y entre los dos extremos, brilla una estrella de cinco puntas que, junto con el arco iris, pone una dosis de júbilo en el equilibrado optimismo de este mural.

Las figuras de los personajes emocionan por su discreta belleza y sabia perfección de la forma, pero lo que arrebata en esta obra es el impresionante dinamismo de todo: a un paso hacia delante, hacia atrás o hacia los lados, el espectador observa cómo todo cambia, sin dejar de ser nunca lo que es. Por ejemplo, la figura de Prometeo, vista desde un extremo, aparece con las piernas tendidas hacia el lejano horizonte, pero en la medida en que nos acercamos a él lo vemos cambiar radicalmente de postura. Lo mismo pasa con las figuras que se mueven de la derecha a la izquierda y viceversa, o con las torres que proyectan sus cumbres hacia el norte o al sur, hacia el poniente o el oriente.

De tal suerte que mientras el espectador se mueve, se vuelve protagonista de la misma obra, recibiendo de ella el impulso que él transforma en acción. Cuando el espectador camina, caminan con él las mujeres que se levantan a la marcha. El Prometeo que trae el fuego en forma de sol a la humanidad se adelanta; los rascacielos se encuentran con las nubes, con las torres, con las pirámides y pagodas de otras culturas. Las formas se proyectan en el espacio y todo se agita en marcha hacia la estrella y el arco iris, donde el pintor coloca metafóricamente los destinos del hombre.

Es interesante observar que estos cambios visuales imprimen a las figuras y a los objetos notables distorsiones: distorsiones, no deformaciones, lo que ocurre cuando se producen escorzos torpemente sin ser sabia y estéticamente estudiados.

El artista logra despojarse de las frondosidades y, con un esquematismo capaz de concentrar toda la fuerza en una tesis realista, pinta esta síntesis genial de sus mejores hallazgos.

En este momento es cuando se comprende plenamente el postulado teórico y filosófico de Siqueiros de que el espectador (ante un mural de esta naturaleza) «es el único *swich* posible para poner en marcha la máquina arquitectónica y rítmica de la corriente que da movimiento».

Capítulo XV

Los espacios públicos se transforman,
una nueva concepción arquitectónica
da sustento a los nuevos murales.

ANTERIORMENTE habíamos mencionado el carácter plástico que comenzaba a adquirir la arquitectura. Este nuevo sentido estético se vio plasmado en su totalidad en la obra magna de la Universidad Nacional de México (UNAM). Siqueiros consideró este proyecto como la segunda etapa del muralismo y se involucró en su creación desde el proyecto mismo. Siqueiros explica en varias ocasiones y en diversos foros sus planteamientos entre la primera etapa del muralismo y la segunda. La primera etapa era un quehacer dentro de los edificios públicos, realizados durante los primeros años de posrevolución. Se trataba de forjar la identidad nacional a través de la plástica. Los murales estaban ahí como espejos del ser mexicano, en tanto pueblo, tradición y derechos jurídico-políticos. Se trataba de pintar una historia redentora del pasado y un futuro encaminado a realizar un ser magnífico para el hombre-masa. El muralismo de exteriores, pensaba el Maestro,

127

era un paso adelante para lograr, mediante la monumentalidad, que la obra plástica formara parte activa del entorno marcando el espacio con colores, las texturas y las nuevas técnicas de la modernidad, trasmitiendo los términos del ideal comunista.

El paso de la primera a la segunda etapa del muralismo fue concebido por los muralistas como progreso técnico científico de corte positivista. Hace más de cuatrocientos años, opinaba Siqueiros, que la humanidad fue perdiendo el sentido renacentista de la integración de las artes.

Por ello, cuando se inició la construcción de la Ciudad Universitaria, en una parte del remoto Pedregal, Siqueiros vio la posibilidad de repetir la hazaña iniciada en los primeros murales exteriores de Los Ángeles. Desde un principio el pintor consideró los murales de CU como una forma de enriquecer el lenguaje plástico de la arquitectura: un diálogo ininterrumpido con los alumnos, trabajadores, maestros y visitantes.

En 1952, Siqueiros inició la obra mural *El pueblo a la Universidad y la Universidad al pueblo. Por una cultura nacional nuevohumanista de profundidad universal*, en la rectoría de la Universidad Nacional de México.

Para comprender la complejidad de dicho mural, reproducimos aquí parte del informe que Siqueiros realiza para los arquitectos del proyecto, en el cual expone explícitamente sus elementos:

RECTORÍA

Arquitectos Mario Pani, Enrique del Moral y Salvador Ortega

Características de la misma:
La obra se compone de una «vierendel», de un muro vertical de 600 m^2 y de dos muros horizontales de 200 y 300 m^2,

respectivamente. Lo que hace un total de cuatro zonas murales de más de 1.000 m^2 de pintura-escultórica en su conjunto. Los murales serán ejecutados con el sistema de colados de cemento mezclado con celite —el celite, además de reforzar el concreto lo hace menos pesado—, para ser policromados después con un recubrimiento de mosaicos de diversos tipos, desde el barro cocido hasta el metálico, pasando por los cristales de colores, etc., y todo ello complementado con pinturas de origen sintético, lo mismo que con oxidables de origen químico industrial.

Cuando el pintor, jefe de equipo, se refiere a la pintura-escultórica, hace constar que no se trata de un bajorrelieve policromado o pictorizado, sino del uso de diversos planos adelantados, hasta más de 30 cm, principalmente —sin la exclusión de agregados propiamente escultóricos de bajo hasta altorrelieve—, con fines exclusivamente óptico-pictóricos y texturales. Planos adelantados que, mediante calados en el propio muro que hace el cuerpo de la obra, facilitarán la iluminación de las pinturas murales señaladas, de atrás hacia delante, con lo cual el elemento de iluminación se agrega a los demás elementos que componen el conjunto de los mismos.

Por razones de tiempo, el trabajo material de la obra ha sido subdividido en tres subequipos, dirigido cada uno de ellos por un artista a quien secundan, como mínimo, quince artistas practicantes y obreros manuales.

El tema general para las cuatro zonas referidas es el de «La Universidad al servicio de la nación». En el primer paño del mural, «el hombre que conforma la nación reclama la cultura nacional, y por ende universal». En el segundo cuerpo, el de la «vierendel» que lo componen cuatro muros, puesto que se trata de un volumen saliente situado a más de veinte metros de altura. «El águila, el cóndor, símbolo de la unión entre México, Centro y Sudamérica», conforman la alegoría tradicional de la Universidad en nuestro país. En el segundo paño, que mira hacia el sur, de 300 m², «el sabio sociólogo y el artista, le entregan a la nación el fruto de sus estudios para la aplicación científica, agrícola, industrial y cultural». En el tercer paño, de 600 m² y con orientación poniente, lo primero que ve el espectador al penetrar en la Ciudad Universitaria, propiamente dicha, aparecerá mediante el uso de agregados metálicos brillantes, con símbolos gráficos de la energía atómica aplicada a fines pacíficos, la chispa y la luz de la cultura. La decoración en ese muro, de cerca de 60 m de altura, que reflejará, además, casi como espejo las diferentes luces del día con sus respectivos colores, desde la aurora hasta el crepúsculo, pasando por el meridiano, servirá como un elemento de ubicación de la Universidad desde muy lejanas distancias.

La composición no será resuelta considerando cada uno de los sectores pictóricos como una unidad geométrica estática en sí, al ser vista exclusivamente desde el frente matemático que corresponda a cada uno de ellos, sino desde el mayor número posible de ángulos correspondientes al desplazamiento del transeúnte.

Cabe, sólo por último, una pregunta: ¿era posible acaso atacar la decoración pictórico-escultórica en esa obra conforme a los principios de la pintura abstracta, esto es, con la exclusión radical de todo elemento anecdótico, filosófico, ideológico, en suma, tratándose de una universidad y de, más aún, de la Universidad que está estructurando su fisionomía nacional? Y la respuesta, contraria a la interrogante, ha sido dada, no sólo por los pintores que surgieron y se desarrollaron al calor de un arte público y social, sino también, y esto es lo más interesante, por los propios arquitectos de la Ciudad Universitaria, de inclinaciones categóricamente formalistas, hasta hace muy poco tiempo.

A pesar de las dificultades, y modificaciones con respecto a la magnitud espacial del mural, la obra resulta ser una de las muestras más significativas del dinamismo que Siqueiros vivió en esa época de su vida. El artista no se conforma con decorar la superficie plana de 300 m², sino que su espíritu renovador le llevó a dar soluciones inéditas. En su composición incluyó un modelador que sobresale hasta un metro, para dar una mejor apreciación a los espectadores, situados en diferentes ángulos, incluso desde vehículos en movimiento. El transeúnte completa la creación con su propio movimiento. En el paño sur utilizó para dar color mosaico vítreo italiano, a este mural le llamó *escultopintura*. En el paño norte aparece el pueblo de México reclamando la cultura; en el plano sur el pueblo reclama que la cultura rebase el límite de lo académico y se difunda y actúe en la vida social. En el muro oriental logró una alegoría de la cultura nacional.

Siqueiros logra la maestría en los trazos de tensiones dinámicas, en las que el punto de fuga es el punto de partida para proyectar hacia fuera las figuras de los estudiantes, de atrás hacia delante. Lo hace mediante un magistral manejo de la geometría y una constante reflexión, por cierto novedosa, sobre la representación espacial renacentista, vertida como una particular relación entre líneas y ángulos. Antes de la esculto-pintura ya había creado la ilusión del relieve aerodinámico.

Los instrumentos de arquitecto que porta uno de los cinco estudiantes representados en esta obra, el cual envuelve con su mano la estructura metálica, son los mismos instrumentos con los cuales el artista proyecta su mural: libros, lápices, compases y modelos arquitectónicos. Una construcción bien fincada sobre cimientos firmes, equilibrio de fuerzas, de peso, de huecos y volúmenes.

Plásticamente las figuras son sencillas —brazos de líneas oblicuas, casi sin accidentes y rostros a penas sugeridos—, pero no podía exigirse detalles y refinamientos en formas concebidas para ser vistas de lejos. El tablero que mira al norte es aún más sencillo: un brazo (plano) que se resuelve en un puño voluminoso y cerrado.

Durante la realización del gran mural para la CU, Siqueiros tuvo que enfrentarse a las dificultades burocráticas y financieras que le impidieron terminar el mural de acuerdo al proyecto inicial conformado por cuatro paneles. La preocupación por la constante modificación del mural le lleva a escribir un memorándum al entonces presidente de México, Adolfo Ruiz Cortines, en el cual no sólo le expone el rezago que sufren las obras murales en toda la Ciudad Universitaria por el corto presupuesto, sino que le invita a reflexionar acerca de la importancia que la cultura pública tiene en el país. Finalmente, Siqueiros recurrió a materiales más económicos —en un principio pensaba utilizar mosaico metálico coloreado con procedimientos electrónicos—) y recursos básicos para solventar el costo de su obra. El mural ha sufrido deterioro con el paso de los años, especialmente debido a desprendimientos de partes del relieve. Se han realizado varios estudios para su conservación.

Controvertida, como la mayor parte de su obra mural, estas pinturas de la Ciudad Universitaria dieron motivo a que O'Gorman, el minucioso decorador de la biblioteca universitaria dijera, en *Arte público* de diciembre de 1952: los murales de Siqueiros en la Rectoría constituyen «una derrota de la pintura mexicana». Las principales faltas que O'Gorman encontró en la obra del artista, para justificar su acérrima crítica, consistían, según el referido artículo, en: oscuridad del tema, que le pareció «totalmente incomprensible»; «falta de liga entre la arquitectura y la pintura»; oposición entre el mural y el paisaje.

El primer argumento carece de base, ya que los personajes juveniles, con compases, libros y lápices en las manos, son obviamente estudiantes universitarios, en tanto que el mural del lado norte representa a un hombre con el brazo tendido como afirmación de la voluntad puesta al servicio de un esfuerzo.

En 1953, el artista realizó la primera experiencia concluida sobre escutopintura con su obra *Velocidad*. Ésta fue elaborada en la fachada de un edificio de la fábrica de Automex; en este tablero en relieve polícromo, con base de cemento pintado y superficie con pinturas en acrílico y azulejos, presentó lo que él vio como la esencia del movimiento: una figura de formas sintetizadas, girando, corriendo o volando, entregada al vértigo.

En 1956 Siqueiros cumplía setenta años de edad y realizaba lo más dinámico de su producción muralista; para entonces ya se había apagado la vida de José Clemente Orozco y se extinguía la de Rivera. Eran tiempos en que en México se exploraban otras formas y concepciones artísticas, más acordes con el modernismo europeo y estadounidense, aunque no hay que olvidar que el *pop art* es poco posterior a estas creaciones francamente *pop* de Siqueiros.

En un artículo que el pintor escribió en el *Diorama de la Cultura* del periódico *Excelsior*, el domingo 25 de marzo de 1956, asevera que el muralismo de exteriores produce un nuevo tipo de profesional de las artes plásticas: «*No se es pintor-escultor o escultor-pintor de la noche a la mañana*». En esta ocasión, Siqueiros escribe sobre la producción de la nueva etapa muralista: «*Se trataba, sin la menor duda, de una nueva experiencia o, mejor aún, de una nueva experimentación. (...) Al muralismo en el exterior le corresponde un nuevo tipo de espectador, un espectador activo, frecuentemente motorizado y, en consecuencia, principios particulares de composición. Su radio visual es infinitamente mayor y más complicado que el del interior. Así, su composición no puede ser frontal, como suele acontecer en el cuadro de caballete sin demérito para su valor plástico. Exige su or-*

denamiento un método de poli o multiangularidad, ya que quien lo ve está impelido a captar la obra desde los puntos angulares más extremos. Tal es el principio que determinó mi esfuerzo. La importancia de que los materiales pictóricos sean los más modernos.»

El 25 de noviembre de 1957 murió en la ciudad de México su amigo de juventud y camarada Diego Rivera, dejando inconcluso su más ambicioso y gigantesco proyecto, un mural épico sobre la historia de México para el Palacio Nacional.

En 1958, realizó en el vestíbulo del edificio de Cancerología del Centro Médico su *Apología de la futura victoria de la ciencia médica contra el cáncer: paralelismo histórico de la revolución científica y la revolución social.* En este magnífico mural, Siqueiros conjuga a la prehistoria, la antigüedad, el presente y el futuro, como una síntesis de los cambios económicos y sociales que determinan el enfrentamiento del hombre con sus males físicos.

Ese mismo año comenzó la obra mural *El arte escénico en la vida social de México*, que la directiva de la Asociación Nacional de Actores (ANDA) encargó para el vestíbulo de sus instalaciones. Para la creación de dicho mural, Siqueiros no hizo ni bocetos ni trazos constructivos. Sólo trazó líneas curvas, elípticas y espirales que le sirvieron de guía para su composición. El centro es una inmensa pantalla-escenario que ofrece dos posibilidades: por un lado, es un pequeño muro frontal, un maniquí de carne sin rostro, sin historia ni circunstancia viva; a la derecha, la tragedia cotidiana y concreta, la miseria de las masas obreras del país, de las mujeres del paupérrimo valle del Mezquital, con sus niños en los brazos, representando la angustia humana del explotado.

El mural fue interrumpido en el mes de abril de 1957, pues la directiva lo consideró como «terriblemente peligroso para la vista» y lo cubrió con una estructura de madera. Como era de esperarse, Siqueiros denunció ante el mundo el atentado cometido por los contratantes, con el apoyo de las autoridades, contra la obra de arte. Con esto se inició una polémica internacional. Siqueiros sustenta conferencias en Cuba y en Venezuela, en las cuales critica al Gobierno mexicano. El 9 de agosto es aprehendido en la ciudad de México y se inicia entonces un movimiento internacional de solidaridad en su defensa. Siqueiros logra permanecer en libertad algunos meses más, bajo la amenaza de ser encarcelado ante cualquier disturbio.

De 1957 a 1960 trabajó el gran mural, de 4.500 m², *La Revolución contra la dictadura porfiriana* del Museo Nacional de Historia del castillo de Chapultepec. Los retratos del dictador rodeado por su corte, así como los retratos de los jefes y del pueblo revolucionario, el movimiento de las fiestas porfirianas y de las huestes revolucionarias en una dinámica contrapuesta, constituyen los elementos primordiales de esta obra.

En estas imágenes se ve a la masa revolucionaria en su marcha hacia la conquista de sus ideales sociales. Entre la multitud podemos reconocer a algunos de los caudillos revolucionarios (Zapata, Obregón, Villa, Carranza), pero no sobresalen: se funden con el pueblo. El ritmo que marcan los sombreros y los fusiles le da un dinamismo a la composición que corresponde con su sentido político. También vemos un brioso caballo que se detiene abruptamente: es la Revolución frenada, como un recordatorio de las fuerzas contrarrevolucionarias que a cada paso intentan detener el desenvolvimiento de los movimientos de signo social.

Durante esta década estableció lazos entrañables con personalidades políticas y culturales de la talla de Pablo Neruda, Vicente Lombardo Toledano, Álvar Carrillo Gil y Carlos Chávez.

Capítulo XVI

— De vuelta a Lecumberri, los agitados años 60 —

¿Qué mayor tortura para un pintor,
que la de vivir rodeado de un gris gastado?

D URANTE el sexenio de Adolfo Ruiz Cortines, se
había tomado el camino tradicional para dar respi-
ro al endeudamiento público que se venía arrastrando
desde hacía varios años. A cada aumento de la deuda seguía
una ola de inversiones nacionales e internacionales, el silencio
complaciente de la banca y la aprobación de los industriales.
A los obreros les tocaban aumentos de salarios nominales, y a
los ejidatarios, créditos exiguos. En 1957 la deuda externa había alcanzado «niveles muy peligrosos», según el presidente, y
se acercaba la época de la sucesión presidencial. Se llegaba al
destino siempre indeseado: falta de solvencia económica y situación política temporalmente indefinida. Los prestamistas
internacionales conocían la situación y preferían esperar.
Eisenhower, por ejemplo, retuvo un préstamo de cien millo-
nes de dólares y múltiples tratados comerciales.

En los últimos meses de 1957, la condición económica de
los asalariados había empeorado notablemente. El gobierno

optó por realizar un cambio en los créditos agrícolas, los concentró en pocas manos y remitió a los ejidatarios a los pasillos de la burocracia encargada de asuntos agrarios. A los trabajadores urbanos les congeló el salario y las prestaciones. Retrajo el gasto público y lo canalizó hacia la industria manufacturera para «crear un clima favorable a la inversiones nacionales y extranjeras». Las inversiones internacionales habrían de venir sólo después de la huelga ferrocarrilera.

Los esfuerzos del secretario de Hacienda por convencer al país de que la «situación sólo era preocupante y no crítica», resultaban demasiado vagos; los llamados presidenciales a la «paciencia», también. La recesión había cobrado sus primeros saldos en las empresas estatales y las ramas más importantes de la minería. La inflación y sus consecuencias inmediatas, la carestía y el paro del segundo semestre de 1957, desvanecían las mejoras económicas obtenidas por los asalariados durante los primeros años del sexenio de Adolfo Ruiz Cortines. Si en las ciudades la situación era crítica, en el campo era peor. México no escapó a la crisis de la economía mundial de esos años y los signos de su forzada inclusión eran tangibles. La crisis mundial, la más intensa del periodo de posguerra, comenzaba a cobrar sus primeros saldos en la economía nacional.

El 13 de febrero de 1958, cuando el presidente de la Asociación Nacional de Banqueros aseguraba que la huelga de telegrafistas no «tenía justificación legal» y que tolerarla equivaldría a «sentar un precedente», nadie pensó que sus palabras serían proféticas. Esta vez, la «actitud de intolerancia» de los telegrafistas no sólo habría de sentar un precedente, sino que marcaría el inicio involuntario del movimiento huelguístico más significativo del México contemporáneo. Unas cuantas semanas después, petroleros, maestros y ferrocarrileros seguirían el mismo camino. En realidad ni unos ni otros imaginaron que sus acciones y protestas cambiarían la historia del país.

Por lo pronto, el 15 por 100 de los trabajadores empleados en instituciones y empresas del Estado fueron arrojados a la calle. En las empresas ferrocarrileras, por ejemplo, laboraban, en 1955, 89.862 trabajadores y en 1958 sólo eran 80.753. En telégrafos, correos y la burocracia estatal, las cosas no marchaban mejor.

Como era de esperarse, Siqueiros, que continuaba involucrado en los movimientos sindicales y comprometido con el Partido Comunista, se mostró molesto por la forma en la que el gobierno había «resuelto el problema»: encarcelando a los líderes huelguistas que habían cometido «delitos contra la nación». El Gobierno ya había desatado una campaña contra los comunistas (para junio de 1958, todos los que apoyaban la gran comisión eran tachados indiscriminadamente de tales): «enemigos de la patria pretenden crear el caos».

En 1959, resuelto a gestar un cambio social, inició una campaña para conseguir la libertad de varios dirigentes y militares sindicales. Durante los próximos dos años, Siqueiros se opuso abiertamente a la política del recién llegado, presidente Adolfo López Mateos —quien decía abiertamente que los derechos sindicales y liberales serían sólo para quienes formaran parte del «sistema»—, expresando fuera y dentro del país su posición frente al conflicto ferrocarrilero. Dicha postura le causó ser aprehendido nuevamente a en agosto de 1960. Fue enviado una vez más a la entonces prisión de Lecumberri, acusado, entre otros cargos, de delitos relacionados con la huelga de maestros y en noviembre de ese mismo año se declara en huelga de hambre.

El 10 de marzo de 1962, por sentencia de las autoridades respectivas, es condenado a ocho años de prisión, por el «delito» de *Disolución social.* A pesar de las condiciones paupérrimas en la cárcel y de los malos tratos que recibía por parte de los carceleros, quienes le dejaban sin plato para comer, cacharro para beber, sin cobija por las noches e incluso incomunicado, Siqueiros pintó cerca de trescientos cuadros, entre ellos un extraordinario retrato de Alfonso Reyes (encargo del Colegio Nacional de México), a veces hasta altas horas de la noche y sin más luz que la de su pequeña lámpara de mano. Le habían negado la luz eléctrica.

A Siqueiros no le abatió la cárcel. Allí dentro, la utopía no lo abrazó ni lo defraudó. Ésta se extendía más allá de los barrotes de la cárcel y le dio la libertad que ni las grandes paredes de hormigón pudieron darle. Sus ideas se elevaban al cielo al igual que su rebelde melena negra, como queriendo agrandar su ya de por sí enorme personalidad.

Siendo un artista incansable, Siqueiros realizó la escenografía para el teatro del penal y maduró su gigantesco proyecto para el edificio destinado a congresos y convenciones que se encontraba anexo al Hotel Casino de la Selva en la ciudad de Cuernavaca, Morelos, propiedad del industrial Manuel Suárez. La temática de los murales debía ser la *Historia de la Humanidad*, representada por la historia de México y Latinoamérica. El proyecto consta de más de doscientos cuadros de caballete, denominados por él como *estampas*.

Dentro de sus memorias, Siqueiros recuerda que una noche, durante su estancia en Lecumberri, fue llevado sin aviso previo, bajo el cuidado de un batallón, a un cabaret para pasar la noche. Siqueiros llegó a creer que en alguna calle oscura el grupo de soldados lo fusilaría. Cuál fue su sorpresa al encontrarse con un viejo camarada de lucha, el general Jesús Ferreira, quien había pedido un permiso especial para compartir con su viejo amigo una noche de juerga.

Siqueiros convirtió su celda, la número 40 de la crujía «I», en una especie de oficina de ayuda para los reclusos. Un abogado joven, preso por homicidio, le auxiliaba a dar forma legal a sus escritos a favor de los detenidos. Muchos acudían a verlo.

El artista permaneció en el Palacio Negro de Lecumberri hasta 1964, cuando el presidente entrante, Díaz Ordaz, le concedió indulto, después de apelar a su derecho de ser liberado —por méritos— a la mitad de la condena.

Al salir, Siqueiros se concentró en el inconcluso proyecto de los murales de Chapultepec, mismo que terminó en 1966. Al finalizar su trabajo en el castillo de Chapultepec continúa con el de la ex Aduana de Santo Domingo.

En diciembre de 1966 y ostensiblemente en un acto de excusa a la falta cometida por su antecesor, el nuevo presidente de la República, Gustavo Díaz Ordaz, otorga a Siqueiros el Premio Nacional de Arte. A su vez la U.R.S.S, en abril de 1967, le concede *el* Premio Internacional Lenin de la Paz, constituido por una medalla de oro y 25.000 rublos, suma que el premiado entregó como homenaje de su heroísmo al pueblo vietnamita. Ese mismo año se celebra una retrospectiva monumental de su obra en el Museo Universitario de Ciencias y Arte de la UNAM, en la ciudad de México, en la cual se expone desde la famosa *Virgen de la Silla* (copiada en su niñez), hasta algunas de sus más recientes obras y dibujos.

Mucho era lo que el Maestro había pensado dentro de Lecumberri, porque el Palacio Negro, a pesar de ser un claustrofóbico espacio que parece coartar las ideas, llevó a Siqueiros a las más profundas reflexiones acerca de su trabajo realizado en los últimos cuarenta, casi cincuenta años. Parte de esta actividad reflexiva (cuyo diálogo es menos agresivo, más sabio y, hasta por momentos, humilde) se imprime en las páginas del libro *A un joven mexicano*, publicado en 1967, en el artículo denominado «El movimiento pictórico mexicano, nueva vía del realismo». Siqueiros comienza analizando la historia del realismo en la pintura, habla con claridad de los grandes maestros y sus muchas innovaciones técnicas y metodológicas para luego reafirmar su propia teoría:

Penetrar en el camino del nuevo realismo implica el encuentro de una objetividad cada vez mayor en las formas, los colores, las texturas, la expresión ideológica, la tecnología; una objetividad que en su conjunto debe ser muy superior a la de los maestros del pasado. Semejante objetividad no se puede alcanzar de la noche a la mañana, ni tampoco con el solo esfuerzo de una generación. El arte nuevo, como las nuevas sociedades, no puede ser arcaizante, apegado a lo vetusto, a lo rústico, a lo primario. No es cierto que las musas sólo aparecen en talleres medievales. Las musas son las primeras en estar al día; de no ser así, la facultad creadora del hombre se había extinguido hace tiempo. (...)

Yo le digo al joven pintor mexicano: ¡Cuidado con las corrientes decorativistas! ¡Cuidado con el nacionalismo arqueologísta y museísta! El realismo de hoy tiene que ser moderno si no quiere perder el apoyo del hombre de nuestro tiempo. Hoy no se habla en latín sino en el idioma que el pueblo ha ido modelando. (...) Nuestro tiempo le presenta al realismo la necesidad de una vigilante actividad inventiva. (...)

(...) Los jóvenes quieren que todos seamos grandes pintores; pero, amigos míos, eso no ha ocurrido nunca. El talento es algo de orden fisiológico que no está en manos de nadie. El pintor debe esforzarse por ser claro en su expresión, pero al mismo tiempo debe ser táctico. Yo jamás condenaría a un artista porque en un momento dado no ha podido darle una claridad polémica política absoluta y definitiva a su obra. Lo importante es revivir el diálogo, llevarlo a fondo, discutir entre nosotros; pero dar la batalla más franca contra los nihilistas, una batalla prudente, estratégica que no lance al histerismo a los que son rescatables. El diálogo no debe interrumpirse, los jóvenes deben continuarlo. Juzgar nuestro movimiento por las limitaciones de los que participamos en él sería un tremendo error. A los colegas que continúan o anhelan continuar en la línea del muralismo mexicano yo les pido que en primer lugar unifiquen su concepción teórica. Su deber no está en defender posiciones que nosotros ya abandonamos en nuestro desarrollo técnico y artístico. Ustedes deben combatirnos —a los viejos— no desde posiciones anteriores, sino desde posiciones más adelantadas. El pintor no debe olvidar que la mejor manera de interpretar al hombre, tanto en el arte como en todas las cosas, empezando por la filosofía y la política, es entender al hombre que tenemos dentro de nosotros mismos, al más próximo, al que tiene nuestros defectos y cualidades. (...)

Si los pintores jóvenes parten de nuestra tradición, nos combatirán de adelante hacia atrás. Péguennos, critíquennos; pero situados a 20 kilómetros adelante y no 20 kilómetros atrás, porque entonces estarán vencidos por anticipado. No estén en la retaguardia, asuman toda la responsabilidad histórica que corresponde en la cultura a una auténtica vanguardia.

Capítulo XVII

— El Polyforum o su Capilla Siqueiros —

L A magna obra que don Manuel Suárez había encargado a Siqueiros durante su estancia en Lecumberri no se vería realizada según lo previsto. El industrial consideró que la ciudad de México sería mejor sitio para albergar el proyecto, por lo que adquirió el antiguo Parque de la Lama, sobre la avenida de los Insurgentes, para la construcción, pero las autoridades de la ciudad capital no le permitieron tocar la vegetación natural del parque para construir. Se manipuló la opinión pública con el fin de presionar a las autoridades en el sentido de que la *Capilla Siqueiros* (como también se le conoce) debería estar en la capital del país y no en otra población, consiguiéndose los permisos para la instalación de lo que iba a ser el *Polyforum Cultural Siqueiros*, adyacente al Hotel de México, hoy día convertido en el World Trade Center.

Es así que las pinturas murales que originalmente se diseñaron para el espacio de Cuernavaca acabaron adaptándose a su nuevo hogar en este edificio, construido ex profeso en un punto muy importante de la avenida más larga de la ciudad capital del país. En el Casino de la Selva se quedó la estructura a medias y lo único que se conservó durante algunos años fue la maqueta dentro de uno de los salones de la planta baja del hotel.

Finalmente, al decidirse la construcción del Hotel México, el proyecto de los arquitectos Rosell de la Lama y Ramón Maquiela Jáuregui, de construir varios foros destinados a actividades culturales y cívicas, denominado *Polyforum Cultural Siqueiros,* fue modificado por el pintor a su salida de la cárcel. Se abandonó la concepción inicial de forma rectangular, adoptándose una complicada forma en su planta y alzado que elude a planos octagonales; en el interior se eliminaron todas las aristas y ángulos en relación a las paredes y entre éstas y el techo, creando así superficies activas en un espacio continuo. El tema de este mural es *La marcha de la humanidad en la tierra hacia el cosmos: miseria y ciencia.* Con excepción del piso, la composición abarca los ocho mil metros cuadrados de superficie. Éste es, como ha dicho Antonio Rodríguez, *«el primer monumento pintado de nuestro tiempo»,* pues no debe olvidarse que nuestros antepasados indígenas cubrían de pintura sus templos, lo que maravilló a los constructores, quienes pensaban que aquello era obra de encantamiento.

Según el artista, *«el hecho de ser una obra de gran escala ha presentado también una serie de grandes problemas, siendo una de las metas que nos propusimos al comenzar esta obra lograr la integración plástica total de la arquitectura y de la escultopintura».* Desde el punto de vista técnico, utiliza acrílico sobre asbesto, cemento y lámina de acero. El interior está conformado por setenta y dos tableros de asbesto-cemento, reforzados con bastidores angulares de hierro. El techo es de fibra de vidrio fundido en cuatro secciones. Las escultopinturas fueron realizadas con láminas de acero troqueladas, moldeadas y soldadas. El exterior, de forma dodecagonal, fue revestido con láminas de asbesto-cemento, y también pintado con acrílico.

Las proporciones colosales de la obra (ocupa una superficie de 4.600 m^2 de paneles articulados), la fuerte inversión que demandó y el hecho de encontrarse dentro de una propiedad privada, lo que permitió al propietario cobrar por verla, desataron violentas críticas. Siqueiros contestó a todos los ataques, tanto los estéticos como los políticos.

No hay que olvidar que ejecutó esa gigantesca obra a los setenta años de edad y después de varios en la cárcel. El propósito y la realización demuestran la grandeza del artista. Con respecto a esta magnífica obra, el artista escribe:

La marcha de la Humanidad se eleva hasta el infinito, penetra hasta lo más profundo de la tierra y tiene la virtud de movilizarse, de cambiar y transitar haciendo que todas las formas y todas las cosas se modifiquen por razón de la poliangularidad de su carrera.

La aproximación del infinito, que es el haber casi tocado la luna, cambia la escala de nuestro sentido poético. La magnifica en una forma tal, que no pudieron apreciar los hombres anteriores a este hecho tan importante.

Considerar que somos hoy un punto pequeñísimo dentro de un punto pequeñísimo en el espacio, me parece que va a cambiar todo el sentido poético, musical y plástico de la creación humana.

Ya no podemos ser hombres que al crear, en esa vía superior que es el arte, pensemos solamente en las cosas que tocan nuestras manos y nuestras plantas, sino en aquello que solamente nos puede conducir nuestro espíritu y lo maravilloso de nuestra imaginación que es tan grande como el universo.

Me parece que ése es el fondo fundamental que tenemos que darle a todas nuestras obras. La música, la pintura, el teatro, la poesía, todo tiene ahora una necesidad de magnitud que no tenía antes. Estábamos demasiado pegados al suelo y no nos movíamos. Ahora sabemos que podemos marchar en direcciones increíbles. Ahora podemos pensar con gran capacidad angular, diríamos, sin ejemplo en la historia del mundo. Somos los más felices de toda la larguísima historia de la humanidad, porque ahora no solamente estamos pegados exclusivamente a la tierra, sino que podemos volar, podemos transitar el universo. La marcha de la Humanidad, pues, no es la marcha en una plataforma determinada, sino la marcha hacia arriba, hacia la izquierda, hacia la derecha, hacia abajo, hacia todas partes, pero siempre en movimiento; que es la más grande virtud del ser humano, el moverse, el ir a todas partes, no detenerse ante ningún espacio. Y eso que apenas estamos tocando un pequeñísimo escalón del universo.

Adelante, adelante en ese sentido y, repito, nuestra escala poética tiene que modificar totalmente nuestra concepción del arte, después de los últimos descubrimientos y los últimos avances de la ciencia.

Hemos estado demasiado tiempo pegados a la tierra, al croquis, diríamos, de las cosas. Ahora tenemos que penetrar, saltar y movernos en un espacio que no tiene límites.

Ésa es la marcha de la humanidad, no es la marcha de la humanidad en una superficie determinada; es la marcha total y sin ejemplo por las posibilidades de hoy en todo el proceso de la historia.»

En esta obra, el pintor dio forma plástica a lo que constituyó el gran sueño de su vida: poner en marcha, no a un grupo de obreros ni a un batallón de soldados, sino a la humanidad entera, para transformar radicalmente el sentido del hombre en el universo.

Siqueiros no sólo demostró ser un hombre de su tiempo, sino de un anticipado andar frente a los avances de su tiempo. Anhelaba exprimir y saborear el jugo de la vida. En *La Marcha de la Humanidad* se logra apreciar esta necesidad de desbordar ideas en movimiento, nada allí es estático.

Casi toda la obra fue prefabricada y preelaborada en un taller especialmente equipado para tal fin en Cuernavaca, al que nombró la *Tallera*.

El *Taller Siqueiros* (como se le conoció originalmente) consta de una enorme nave con variadas instalaciones mecánicas, para mover los enormes paneles, incluyendo un foso donde pudieran bajar éstos para ser trabajados a una altura conveniente al maestro, sin necesidad de andamios que pudieran ser peligrosos por su avanzada edad. Este espacio se levantó adyacente a la casa del artista en Cuernavaca en el año de 1965.

La idea de Siqueiros fue establecer un taller-escuela que en vez de profesores y alumnos tuviera maestros y aprendices, pues, después de sus varias experiencias trabajando con aprendices en murales como los de Los Ángeles, consideraba que ése era el método más eficaz para la enseñanza de la pintura. Como integrantes del grupo figuraban: como jefe del taller, Mario Orozco Rivera; los pintores Luis Arenal, Guillermo Bravo, Guillermo Ceniceros, Roberto Díaz Acosta, Enrique Julio Estrada, Carlos Kunte, Igal Maoz, Fernando Sánchez, Artemio Sepúlveda, Julio Solórzano y Estela Ubando, y los ayudantes obreros Epitacio Mendoza, Raymundo González y Sixto Santillán.

Luchador activo toda su vida contra lo que consideraba injusto, protestó contra la represión del movimiento estudiantil de 1968, en la cual durante cerca de cuatro meses los estudiantes de diferentes preparatorias y universidades fueron reprimidos, violentados y agredidos por la policía, hasta que el 2 de octubre, en la plaza de Tlatelolco, un número considerable de alumnos, que se habían dado cita allí, como forma de protesta ante las medidas violentas tomadas por el Gobierno de la República hacia los estudiantes y maestros, fue literalmente atacado por un grupo de soldados y francotiradores. Centenas de estudiantes murieron y otros tantos desaparecieron. El presidente Gustavo Díaz Ordaz, en un intento por justificar tales actos, señaló que el problema estudiantil tenía una estrecha relación con los intentos de desprestigiar a México en la coyuntura de los juegos olímpicos. Por otra parte, haciendo correlaciones francamente irracionales de hechos sucedidos en otros países, achaca al movimiento un «secreto proyecto subversivo» para impedir la realización de la olimpiada. Argumentó la necesidad de que existan artículos como el 145 y 145 bis, en el CPF, con el fin de proteger la «soberanía nacional y la integridad de la República cuando ciudadanos mexicanos cumplen normas de acción de gobiernos extranjeros».

Lo cierto era que miles de estudiantes y docentes buscaban un diálogo directo, un debate público en el cual discutir la violación de la autonomía universitaria, sin llegar nunca a plantear la desaparición del gobierno, ni siquiera mínimos cambios en su composición. Sin embargo, enfrentan fundamentalmente a las formas antidemocráticas de gobernar, y con ello, colocan a las libertades políticas como el objetivo nodal del movimiento.

Uno de los puntos (el cuarto) exigidos por los estudiantes del Instituto Politécnico Nacional, la Universidad Nacional de México, Chapingo y otras escuelas, a las autoridades correspondientes, era la derogación del artículo 145 y 145 bis del Código Penal (delito de disolución social). Habiendo sido víctima de penas carcelarias por «delitos» que van a favor de las libertades y derechos humanos, Siqueiros participó en el debate de la Cámara de Diputados donde exigió la derogación de dichos artículos, lo que a la postre se logró.

En 1971 inaugura en la ciudad de México el *Polyforum* del Hotel de México. Para entonces el gran Maestro Siqueiros ya había pintado una superficie total de 9.000 m^2, esparcidos por diecisiete edificios en México, tres más de ellos en los Estados

Unidos, uno en Argentina, otro más en Chile y dos en Cuba. En 1972 se le dedica una gran retrospectiva en el Museo de Arte Moderno Kobe de Japón.

La última parte de su vida fue de activa creación pictórica, de elaboración de proyectos como la decoración de la Oficina Internacional del Trabajo en Ginebra. El equilibrio y serenidad de sus últimos juicios políticos producían, cada vez que los emitía, honda conmoción en los círculos de la sociedad mexicana.

Siqueiros nunca fue un maestro académico; no codificó sus conquistas y experiencias en programas escolásticos; sus discípulos asimilaron sus enseñanzas en los andamios o rondando como una corte de adeptos al pintor. Sin embargo, mucho es lo que Siqueiros aportó al arte en cuestión de técnica e ideología, es por ello que cabe mencionar que en sus últimos años continuó pugnando por una reforma educativa en las escuelas de arte, de ahí la sugestión para la creación en México de un Subinstituto de Investigaciones Químicas de los Materiales Plásticos, y la sugestión de crear otro Subinstituto de Investigaciones sobre las geometrías, sobre la perspectiva y sobre todos los problemas ópticos que tengan relación con la pintura. A él se debe la creación del subinstituto para el estudio y la fabricación de la piroxilina, de los acrílicos y de las siliconas, en el Instituto Politécnico Nacional.

Al final de su vida, Siqueiros se hallaba pleno de contradicciones insolubles en lo temático e inmerso en una ansiedad tan fuerte en su exploración de nuevos materiales y herramientas, que su soledad era mundial, no había nadie más siguiendo sus pasos. En el terreno de la gráfica clamaba ante los talleres de Gráfica Popular para convencer a los artistas de que abandonaran las técnicas tradicionales, anacrónicas, como la xilografía, litografía, serigrafía, y entraran en la atmósfera de las nuevas opciones del *offset* y de las tecnologías más novedo-

sas. Su discurso se quedó sin interlocutores: «Tal vez si aparece una generación menos prejuiciada, menos mezquina y más
ansiosa de renovar el arte en todos sus aspectos, el arte en sí
mismo como producción material en sus relaciones con el espíritu, la condición anímica y psicológica del espectador, se
atreva a desentrañar sus búsquedas, explore sus vetas o emplee
ese bisturí del que usted habla y descubra que esa soledad aún
sangra.»

Sin embargo, sí había en ese tiempo un extraordinario pintor mexicano que se acercaba a su forma experimental de trabajo. Si tratamos de encontrar acercamientos entre la obra de
Siqueiros y de los otros muralistas, observaremos que no existen tantos como los que tiene con los de la obra de Tamayo.
Coincidieron en muchos aspectos de búsquedas, no en el terreno de los materiales sino en la composición. Por los mismos
años trabajaban en el adelantamiento de las figuras o en echar,
mediante la composición, las imágenes hacia adentro de la superficie bidimensional.

Poco antes de su muerte se fue a vivir a la ciudad de México,
donde solidificó su posición como uno de los tres grandes pintores de murales en su país. Muere en México en 1974, al lado
de su esposa Angélica, «Birucha», como le llamaba amorosa-
mente. Sus restos se encuentran hoy, cual debe ser, en la Rotonda
de Hombres Ilustres.

Con su muerte nos privó de su voz, pero nos dejó sus ideas
vibrantes, estrepitosas, polifórmicas, poliangulares, para que
nuestras vidas no quedaran vacías, para que pudiéramos seguir
mirando al mundo con otra óptica, con otro compromiso social, mediante otro pacto de unión entre el autor dinámico y
el espectador activo.

Segunda parte

— *Innovación en la técnica y composición de los murales de Siqueiros* —

A lo largo de su biografía, hemos hablado de los múltiples aportes que Alfaro Siqueiros realizó al arte en general. Hombre incansable, dinámico, inquieto por definición, experimentó con los materiales más insólitos. Aquellos que muchos no se atrevían a tocar por su uso comercial y poco cercano al «arte tradicional». Para alguien tan poco convencional como Siqueiros, una «pistola de aire» resultaba un grito de rebeldía. Admiraba y respetaba profundamente a los anónimos muralistas de la antigüedad, consideraba sus técnicas como un manantial rico por explorar, pero sabía que había mucho más por delante. Lo mismo le sucedía con las técnicas de perspectiva de los renacentistas: válidas, importantes, mas no aptas para estos tiempos, en donde el espectador deja de ser un ser pasivo y es —o debe ser, pensaría el Maestro— un agente activo, un ser dinámico que pone en movimiento cada mural.

De los tres grandes muralistas, Siqueiros es conocido como el innovador de los elementos técnicos de los murales. Desarrolló sus teorías sobre el espectador en movimiento, el dinamismo óptimo de los planos y espacios, se caracterizó por el uso de perspectivas exageradamente dramáticas, figuras robustas, el uso del color. También Siqueiros fue innovador de las ideas surrealistas en los murales. Sus pinturas, en ese sentido, representan una síntesis muy particular de los estilos futurista, expresionista y abstracto, aun cuando «el abstraccionismo» haya sido una expresión con la que Siqueiros no estaba de acuerdo, incluso lo llegó a llamar «*snob*, burgués y seudomoderno»; sin embargo, como muchos otros artistas, no quedó exento de incursionar en su práctica.

Es ahora cuando entramos en la parte descriptiva de su aportación al arte. Le conocemos ya como militar, como político, hemos hablado de su obra, pero para aquellos a los que les resulta ajeno el mundo de la composición pictórica y los materiales y herramientas utilizadas, esta segunda parte del libro resulta expositiva y emocionante.

Instrumentos y materiales aplicados en la obra mural de Siqueiros. Quién mejor que el mismo pintor para describir los nuevos instrumentos utilizados. Estando en Los Ángeles, Siqueiros dictó una conferencia en el John Reed Club, de Hollywood, el 2 de septiembre de 1932, a propósito de los murales *Mitin obrero* y *América Tropical*, en la cual reflexiona profundamente en torno a los nuevos instrumentos de producción pictórica y su correspondencia con el mensaje revolucionario que se intenta imprimir en ambas obras.

I. *Nuevos elementos e instrumentos*

¿Cuáles son esos modernos elementos e instrumentos de producción plástica, que son a la vez unidad para la pintura dialéctico-subversiva?

Para la pintura monumental y multiejemplar son los siguientes:

El cincel de aire (drill-gun), que debe ser usado para la preparación inicial de los muros. Aporta posibilidades inmensas en la búsqueda de texturas para la superficie. La elección de «calidades» es de fundamental importancia en el desarrollo de la plástica posterior, pues las superficies pintables tienen valor genérico esencial. De su buen encuentro dependen en cierto sentido el resultado plástico final y nada puede servir mejor para ese objetivo que este nuevo y rico elemento mecánico.

La pistola para cemento (cement-gun), que debe ser usada para aplicar y extender la mezcla sobre el muro. Las ventajas de este procedimiento mecánico sobre el arcaico método manual son infinitas. La mezcla adoptada puede ser extendida así sobre el muro de manera absolutamente uniforme y compacta. Puede también extenderse con todas las premeditadas deformaciones que se deseen y una multiplicidad de texturas es aplicable. Las ventajas de tiempo no merecen señalarse por lo evidentes.

El cemento blanco común (white water-proof cement), que debe ser usado en vez de la mezcla de cal y arena empleada en el fresco tradicional. El cemento se adhiere definitivamente sobre los muros de concreto. Se hace parte integrante de éstos. Sobre el cemento fresco se puede pintar con los mismos materiales que en el fresco tradicional; es decir, con tierras naturales y óxidos de minerales colorantes, disueltos exclusivamente en agua pura. El proceso de cristalización del cemento retiene los colores con mayor solidez que la mezcla de cal y arena. La textura del fresco sobre el cemento es tan transparente como la que se consigue sobre el otro y más compacta y nítida. No tiene esa «calidad» acuarelada del fresco tradicional. En cuando a solidez definitiva, hay que hacer notar que el fresco tradicional, que es de enorme resistencia ante los efectos atmosféricos y a las reacciones químicas, carece de resistencia ante la acometida física. La capa de cemento no puede ser perjudicada fácilmente ni con un hierro, mientras que el fresco tradicional puede rayarse con la uña. Una lluvia de piedras puede acabar totalmente con un fresco tradicional, mientras que nada grave puede hacer al aplanado de cemento. En México hemos tenido pruebas dolorosas de la fragilidad del arcaico procedimiento. Éste tiene otras ventajas: permite el uso del cemento blanco como el color blanco. En el fresco tradicional el blanco y los colores se hacen por transparencia. El cemento contiene álcalis peligrosos, pero existen ya neutralizadores eficaces industrialmente elaborados. El Bloque de pintores hace también ensayos importantes sobre ese terreno. Por otra parte, la mezcla de cal y arena del fresco tradicional contiene salitre o sales como los álcalis del cemento, los cuales, como es sabido, no han podido ser eliminados totalmente hasta ahora.

La pistola o brocha de aire (spray-gun), que debe sustituir a la brocha de mano como instrumento esencial del trabajo pictórico. La pistola o brocha de aire y sus complementos técnicos de infinita variedad (esténciles, reglas, superficies flexibles de metal, y celuloide, accesorios pétreos y metálicos de formas y tamaños infinitos, etc., etc.) dan al pintor moderno un mundo nuevo de posibilidades plásticas. Hasta ahora la pistola o brocha de aire ha sido utilizada exclusivamente en trabajos comerciales y frecuentemente en forma estúpida, semejante a la de aquellos arquitectos de California que imitan con cemento armado hueco los antes funcionales contrafuertes de piedras volcánicas de los viejos edificios coloniales de la América Latina. La pistola o brocha de aire ha sido para imitar con rapidez las diversas expresiones plásticas de su milenaria antepasada, brocha de mano. La brocha de mano, como todos los posibles medios mecánicos de producción plástica, exige su propio estilo, ajeno por completo a los procedimientos tradicionales. Lo repetimos: a nuevos instrumentos, nueva estética. Cada instrumento genera su propia expresión plástica.

El soplete de gasolina u oxígeno (blow-torch), que debe ser usado para cauterizar la capa final de cera, de necesaria aplicación en el fresco moderno al aire libre. Este procedimiento sustituye al arcaico método de cauterizar los frescos con planchas manuales de hierro. El soplete sirve también para todos los procedimientos encáusticos que puedan subsistir en las nuevas condiciones de la plástica. Conviene usar la cera líquida denominada *mine wax*, que puede aplicarse también con la pistola de aire, y en esta forma penetra mejor en los poros del muro. El soplete de gasolina puede ser también usado en una especie de pirograbado monumental, pues tiene potencia para tostar los muros de cemento.

El mortero de cemento previamente coloreado, que constituye un nuevo elemento plástico de importancia. Se puede aplicar en los muros mediante el uso correspondiente del compresor. Este procedimiento permite crear materias plásticas incomparables. Su resistencia física no tiene igual; es aún más fuerte que la del fresco sobre cemento, pues el color es parte integrante de la entera capa de mezcla. El asfalto puede también ser usado en forma similar al cemento, en combinación plástica con éste o aisladamente. Estos procedimientos de plasticidad máxima están destinados a crear una especie de moderno, monumental y maravilloso mosaico. Existen ya experiencias sobre el uso de estos elementos en trabajos comerciales o plásticamente superficiales, que son de valor técnico para los modernos pintores monumentales revolucionarios.

Y en cuanto a los materiales, Orlando Suárez en su libro *Inventario del muralismo mexicano* (páginas 348-349) nos ofrece una clara descripción de los materiales plásticos sintéticos empleados por Siqueiros. Reproducimos aquí una parte para la mejor comprensión de la técnica mencionada a lo largo del libro.

Piroxilina: La piroxilina es nitrato de celulosa, proviene de un éter formado tratando la celulosa por el ácido nítrico. Según la proporción de nitrógeno introducida (grado de nitración) se distingue, pues, toda una serie de productos conocidos ya desde 1846. Los más importantes industrialmente son *colodiones*, uno de ellos es la sustancia plástica conocida como *celuloide*. Los colodiones solubles en la mezcla éter-alcohol y en la acetona son empleados en la preparación de la lacas de película, la seda artificial o rayón y en la pintura de automóviles y sobre metales en general. Cuando la piroxilina se emplea sobre aplanados de cal o cemento, destrúyese gradualmente por la acción cáustica de aquellos materiales. Así, se recomienda que se use sobre metales, cartón prensado, madera, masonite, celotex, tela, etcétera. En el comercio deben comprarse solamente los colores básicos. Generalmente los fabricantes de pinturas de laca para automóviles producen también el solvente y los retardadores del secado y los enmatecedores. Para darle cuerpo a la piroxilina y hacerla opaca, es preferible mezclarla con *celite*. El celite es una clase de diatomacias constituida por sílice de origen biológico. (...) Este producto se usa también en la preparación del mortero de cemento. En la proporción de un décimo a un quinto de volumen, el aplanado adquiere una gran plasticidad y no sufre cuarteaduras, y el fraguado tiene lugar en mejores condiciones. El celite tiene diferentes usos en el taller del pintor. La piroxilina se puede trabajar con pistola de aire, pinceles, brochas y espátulas. Se recomienda no usarla en murales a la intemperie.

Vinilitas: Vinilitas es el nombre comercial dado en Norteamérica a una serie de productos sintéticos elastoplásticos, termoplásticos, elásticos, resistentes a la luz, calor, ácidos débiles y soluciones alcalinas o salinas, del grupo de las resinas vinílicas. Las vinilitas de acetato de polivinilo se emplean como adhesivos para la madera artificial, así como para tejidos, cuero y cartón. Las vinilitas de cloruro de polivinilo son ligeramente solubles en la acetona e insolubles en el agua. Se emplean como cauchos artificiales para impregnación de tejidos que envuelven cables eléctricos. Las vinilitas V son copolímeros de cloruro y acetato, incoloros, inodoros, muy flexibles y resistentes a todos los corrosivos químicos. Se emplean en discos de gramófono, tapones de botella y otros objetos moldeables. La vinilita de butrial polivinílico, estable al calor y a la luz solar, como a las radiaciones ultravioletas, tiene excelentes cualidades elásticas, pudiendo emplearse en los vidrios de seguridad y como adhesivo. Se adquiere granulada o en forma líquida, transparente o pigmentada.

Acrílicos: Las resinas acrílicas son sustancias elastoplásticas, estudiadas ya por el alemán Röhm, en el año 1901, e introducidas en el campo de la industria en 1927 en Alemania y en 1931 en Estados Unidos. Todas son termoplásticas y en general resistentes a los ácidos, álcalis, alcoholes y agua, pero su característica principal, en particular de los metacrilatos, es su transparencia. Entre los acrilatos son los más empleados los de metilo, etilo y butilo. Se usan para impregnación de tejidos, dentaduras postizas y como adhesivos sintéticos. (...) El metacrilato de metilo es extraordinariamente duro y transparente, poseyendo además la propiedad de conducir la luz a través de formas curvas. Su empleo fundamental está en el vidrio orgánico, siendo los productos comerciales más conocidos de este género los plextol y plexiglás alemanes, lucite y cristalita norteamericanos y perspex y diakon ingleses.

Las pinturas de resinas acrílicas con fines artísticos pueden ser adquiridas actualmente en los comercios de materiales para artistas. En la pintura mural, interior y exterior, han demostrado ser inmejorables. Se expenden dos tipos: una emulsionada al agua y una solución cuyo solvente es totuol. El primer fabricante en México de este tipo con fines artísticos fue José L. Gutiérrez bajo la marca de Politec.

II. *La Poliangularidad de Siqueiros*

En la parte biográfica de esta obra, hemos mencionado la importancia que tuvo para él el hallazgo de los grandes muralistas del Renacimiento. Su viaje a Italia significó un parteaguas y sería la directriz que marcaría el rumbo de su inventiva carrera como artista. Si bien absorbió las técnicas utilizadas hace más de cuatrocientos años, y estudió con fervor los métodos de la perspectiva tradicional, el maestro del mural no se quedó allí. Lo aprendido en Italia no sería sino el punto de partida de un nuevo descubrimiento.

El Renacimiento no lo era todo en sí, era sólo el estímulo que le llevaría a experimentar las más diversas técnicas y los más variados métodos de perspectiva. Y así como Van Gogh se ve envuelto por la obsesión del movimiento en cada pincelada, Siqueiros buscará el movimiento continuo del mural. Su meta será lograr que el espectador accione el *swich* que pondrá en movimiento a cada uno de sus personajes. Las mujeres comenzarán la marcha hacia la libertad, los caídos ante la guerra se levantarán y la antorcha de los dioses bajará a iluminar a esta humanidad que yace en tinieblas. Un compromiso que no sólo es pictórico, sino también, y por mucho, social.

Con Siqueiros todo va de la mano. Pero ahora es tiempo de enfocarnos a un solo aspecto de su creación: La Poliangularidad.

Éste es un método de composición pictórica diseñado y explorado por Siqueiros, el cual implica una considerable revolución en los supuestos y las técnicas de composición y perspectiva que los italianos crearon (siguiendo bases de la perspectiva que se usó en la Grecia clásica) durante el Renacimiento.

Al tiempo que las grandes vanguardias pictóricas del siglo XX rompían con la tradición realista de la pintura, renunciando a los arraigados principios de la composición espacial que suponía, Siqueiros la retoma para revolucionarla: exalta las posibilidades, su belleza y sus alcances.

Los italianos del Renacimiento, como bien lo hemos dicho, dieron con los trazos mágicos que abren virtualmente las superficies planas, desplegando la espacialidad hacia el infinito. Sin embargo, para Siqueiros, dicha técnica, la perspectiva rectilínea, tendía serias limitaciones:

Presuponía que los espectadores son inmóviles y que miran con un solo ojo.

Restringía su plano representativo a superficies planas y reducidas.

Concebía las formas geométricas como algo estático e inmutable.

Estas limitaciones dan como resultado una representación espacial inmóvil que no toma en cuenta la percepción subjetiva, la mantiene a distancia y le mutila su propia naturaleza. La perspectiva rectilínea consideró que el espectador era una estatua inmóvil y monocular. El trabajo de Siqueiros al respecto no será de ruptura ni de abono; por el contrario, consistirá en una reflexión continua que revolucionará esas limitaciones.

Si la perspectiva renacentista exploró solamente las superficies bidimencionales: el panel, el muro; Siqueiros plantearía un método pictórico que puede abarcar también los espacios arquitectónicos, es decir, la tridimensionalidad. Las leyes geométricas serán reelaboradas para ser trabajadas sobre topografías arquitectónicas cuya suma de planos, pared, suelo y techo (cóncavos, convexos y combinados), en conjunto, forman una unidad espacial integralmente cúbica y dinámica.

Así pues, Siqueiros decide sustituir el caballete por la arquitectura, integrando las espacialidades pictóricas con las arquitectónicas y así generar un nuevo ámbito, una caja espacial completa y sin fisuras. Y por el otro lado, devolverle la movilidad al espectador. El movimiento de éste, dentro o ante una espacialidad arquitecto-pictórica, hace de las geometrías (pictóricas y arquitectónicas) algo dinámico: las formas geométricas no son fijas, se movilizan y transforman, impulsadas por los pasos de un sujeto que las recorre y las observa.

Con esta nueva idea, Siqueiros se impuso la tarea de organizar sus composiciones, tomando en cuenta diversos puntos del espectáculo; para ello recordemos lo que él mismo apunta en su libro *Cómo se pinta un mural:* «el observador debe obtener normalidad realista desde cualquier punto en que mire y cualesquiera sean sus movimientos». Para conseguir dicho efecto, es fundamental corregir las distorsiones que la observación angular produce en las formas geométricas, en contraposición a la exclusivamente frontal, trabajada por la perspectiva clásica.

De esta manera, la adopción de los espacios arquitectónicos como nuevos espacios de representación pictórica, la consideración del espectador como agente activo dentro de la composición y la corrección realista de las figuras tomando en cuenta varios ángulos de observación, fueron en resumidas cuentas la conclusión plástica a la que llegó Siqueiros, analizando las formas de representación perspectiva clásica, y constituyen una interesante aportación a la investigación plástica del espacio.

III. *El uso de la fotografía en la composición*

Para lograr el efecto de la Poliangularidad, a Siqueiros le fue indispensable integrar al trabajo pictórico, técnicas y herramientas desconocidas en el Renacimiento: la cámara fotográfica, el proyector eléctrico y la cámara de cine se convirtieron en los nuevos colaboradores de la plástica siqueiriana.

Para montar elementos figurativos en la obra mural, tomando en cuenta los múltiples angulos de visión, el artista desarrolló un procedimiento que consistía en fotografiar sus dibujos desde diferentes ángulos y corregir, sobre las mismas fotos, las distorsiones lógicamente producidas en sus formas geométricas. Para entender mejor, volvamos a lo escrito por Siqueiros: «La fotografía nos da el documental de la distorsión más aproximada que se produce en nuestros ojos». En un segundo momento, el pintor usaría el proyector eléctrico para reproducir las fotografías en los muros. Esto lo hacía rutinariamente desde diferentes ángulos, para remarcar las distorsiones, corrigiendo y modificando la perspectiva.

Con la fotografía, el pintor calculaba las distorsiones requeridas para su hiperrealismo. Para pintar mejor, nada como retratar figuras humanas en las poses adecuadas (la mayor parte de las veces autorretratos), para después proyectar esas imágenes sobre los muros, bocetar detrás de las fotos o ver la obra propia desde las fotografías y películas. A través de la fotografía se ven ángulos que no se notan a simple vista y se logran síntesis alucinantes.

No conforme con las posibilidades que la cámara fotográfica puede brindar durante el proceso de creación, Siqueiros explora las posibilidades de documentación, retroalimentación y divulgación de su propia obra. En esta ocasión no bastará con la cámara fija, sino que se adentrará en el mundo de la documentación fílmica que brinda la cámara de cine portátil.

Siqueiros consideró que en el documento fotográfico consta una lección, una base de autocrítica que consideró esencial revisar, antes de emprender una obra mural definitiva. En *Cómo pintar un mural* escribió al respecto:

«Si la fotografía ha servido para analizar la naturaleza geométrica del lugar a decorar, si ha servido para fijar las deformaciones visuales del conjunto y de detalle, si ha servido para corregir en el proceso mismo de la obra, de acuerdo a un método poliangular todo lo realizado, ¿cómo no va a servir para analizar, de manera final, la obra ya creada integralmente? En todos los murales ejecutados desde 1932 he seguido ese procedimiento pre-final. Naturalemente, cuestiones de contrato —que son cuestiones de dinero— han impedido realizar este propósito en forma ciento por ciento importante. Pero si partimos del principio de que nuestra obra se ha producido a través de formas públicas, tales como el mural y la estampa, entonces debemos llegar a la conclusión de que el problema de su mejor reproducción, para su mayor divulgación, es absolutamente indespensable. Podemos, pues, hablar (perdón señores de la mística esteticista) de que la pintura mural, en el último extremo, debe ser una pintura fotogénica, es decir, de fácil reproducción fotográfica en negro y en color, para que salga así del lugar fijo en donde se encuentra situada hacia un mayor número de público. Solamente así cumple su cometido público que le dimos desde su origen.»

Una vez más nos encontramos con el Siqueiros revolucionario, que no conforme con hacer del espectador un ser activo en su obra, busca romper las barreras de la inmovilidad del mural, para llevar su mensaje a cualquier sitio del planeta. El pintor valoraba mucho las posibilidades de difusión gráfica (periódicos, libros, revistas) en su trabajo; pero consideraba que el lenguaje cinematográfico —en tanto discurso narrativo— se integraba mejor que ninguno con su temperamento dinámico y con el movimiento que ofrece su método de poliangularidad. Sobre la plástica fílmica Siqueiros reflexiona y nos comparte su pensar en su artículo que aquí reproducimos: «Arte público ¿Cabe hablar de pintura mural fílmica?»

«Muchas son, en mi concepto, las ventajas del contacto entre la pintura y la fotografía dinámica, esto es, la cinematografía.

El cine coadyuva con la pintura en la captación del movimiento de las imágenes y de la "distorsión" y el espacio y los volúmenes en que actúan dentro del mismo. Aún no se ha realizado un contacto verdadero entre la gran pintura, la plástica trascendente y la cinematografía. Ésta ha logrado una fusión con la gráfica periodística a través de los *comic books*.

En vista de lo logrado hasta hoy, cabe preguntarse: ¿Existe alguna perspectiva de unión entre la pintura mural, particularmente aquella que ha sido producida en superficies activas de acuerdo a un plan de unidad espacial, y la cinematografía, produciendo así un fenómeno nuevo que no sería la cinematografía como hecho autónomo ni pintura como expresión particular, sino algo completamente inusitado?

En primer lugar, la única manera de reproducir gráficamente una pintura realizada en una superficie activa la proporciona el cine.

La fotografía, como es evidente por las reproducciones de mi mural del Hospital de la Raza, no da una versión real de la obra debido en gran parte al carácter uniocular de la cámara. La cámara cinematográfica, a pesar de ser también uniocular, al repetir el tránsito de un espectador al moverse de izquierda a derecha y de derecha a izquierda, de abajo a arriba y de arriba abajo, en todas las direcciones posibles, puede dar una versión muy próxima a la realidad visual, a la que se produce en la realidad óptica del visitante. En todo caso será —hoy por

165

hoy—, agotando todos los ángulos posibles, la versión más próxima a la realidad. Pero aunque esa versión fuera aún defectuosa, lo cierto es que a relación entre el cine y la pintura en superficie activa dará origen a una nueva modalidad plástica, una plástica fílmica nueva. Esa plástica ampliará hasta el infinito las facultades perspectivas de la visual humana al agrandar las texturas, violentar las coloraciones, al mover formas que objetivamente son estáticas. Llegará el día en que se harán pinturas murales en superficies activas y en extremo compuestas, conformadas con planos cóncavos, convexos, quebrados, adelantados, con rompimientos, etc., cuyo propósito esencial no sea la pintura mural en sí, sino su reproducción cinematográfica.

Imagínense ustedes lo que la inventiva humana puede llegar a realizar en este terreno. Las formas podrían precipitarse con un vértigo inusitado, se acentuarán las expresiones psicológicas, se fusionarán los diversos sectores mediante métodos de superposición, se crearán nuevos colores por combinación de los existentes. Pero esto no será la obra de los caricaturistas como Walt Disney, sino de grandes artistas plásticos de sentido superior y profundo. Será la consecuencias del contacto de un gran muralista con un gran cinematografista. Y se darán casos de grandes muralistas con capacidad cinematográfica o a la inversa. En su evolución la pintura y el cine habrán de encontrarse en un punto desde el que partirá esta nueva modalidad plástica a la que habremos de buscarle dentro de poco su denominación.

Por lo pronto, Guillermo Zamora, partiendo concretamente de mi mencionado mural de la Raza, ha iniciado ya esa búsqueda para una película a colores.»

Así como Siqueiros incorporó la escultura y la poliangularidad, la piroxilina y los mosaicos, la proyección fotográfica y la conciencia de un espectador móvil, es perfectamente probable que las nuevas tecnologías y medios como el video, los audiovisuales, la multimedia en computación, los nuevos formatos cinematográficos como lo es el IMAX, etc., hubieran formado parte de su teoría y praxis artística.

LA OBRA MURAL DE SIQUEIROS

1922-1924

Los elementos
Pintado en la encáustica, en el techo abovedado de la Escuela
Nacional Preparatoria, «Colegio Chico». San Idelfonso #43,
México, D.F.

Finales de 1922 y 1923

Los Mitos, Entierro del obrero sacrificado y *El llamado a la li-*
bertad
Pintado en los muros de la escalera del patio chico de la
Escuela Nacional Preparatoria
«Colegio Chico». San Idelfonso #43, México, D.F.

1932

Mitin obrero
Fresco sobre cemento armado. Pintado con aerógrafo en la
Chovinard School of Arts, en Los Ángeles, California. Muro
exterior destruido.

América Tropical
Fresco sobre cemento armado. Plaza de Art Center, Los Ángeles, California. Muro exterior destruido.

Retrato actual de México
Inicialmente llamado «Entregamiento a la burguesía mexicana surgida de la Revolución en manos del Imperialismo». Pintado en la residencia del director de cine Dudley, en Santa Mónica, California, hoy expuesto en el museo de Santa Bárbara, California, EE.UU. Pintado en tres tableros de 16 m^2.

1933

Ejercicio plástico
Casa de campo de Natalio Botana, en Don Torcuato, cerca de Buenos Aires, Argentina. Local en forma de túnel, pintado al fresco sobre cemento negro, utilizando como herramienta el aerógrafo. Parcialmente destruido. Permanece en contenedores a la espera de un mejor lugar para ser restaurado y exhibido.
Colaboradores: Lino Eneas Spilimbergo, Enrique Lázaro, Juan Carlos Castagnino, Antonio Berni y el cineasta León Klimvovsky.

1939

Retrato de la burguesía
Sindicato Mexicano de Electricistas, Antonio Caso #45, México, D.F. Pintado en las paredes y techo de la escalera: 100m^2; piroxilina sobre aplanado de cemento. Utilizó como herramientas el aerógrafo y brochas.
Colaboradores: El cartelista y pintor español José Renán, Antonio Rodríguez Luna, Miguel Prieto, Antonio Pujol, Luis Arenal, Fanny Rabel y Roberto Berdecio.

1941-1942

Muerte al invasor

Pintado en la Biblioteca de la Escuela México, en Chillán, Chile. Dos muros frontales de 8 x 5 m cada uno y un techo de 160 m^2 que Siqueiros unió eliminando los ángulos rectos en una superficie sin solución de continuidad. Pintado a la piroxilina, sobre bastidores de masinite y celotex.

Colaboradores: Erwin Werner, Alipio Jaramillo, Luis Vargas Rosas, Camilo Mori y Gregorio de la Fuente.

1943

Alegoría de la igualdad, Confraternidad de las razas blanca y negra

Mural de 40 m^2, pintado en La Habana, Cuba. Hoy destruido; se reproduce una foto y fragmententos en el libro titulado *Siqueiros*, editado por el INBA en 1951.

Nuevo día de las democracias

Tablero móvil hecho para el Hotel Sevilla Biltmore de La Habana, Cuba. Hoy se encuentra en el Museo Nacional de Cuba. Pintado a la Piroxilina sobre mesonite. Mide 7,5 m^2.

1944

Cuauhtémoc contra el mito

Concluido para una casa particular de la señora Arenal en la calle Sonora #9, y trasladado más tarde al edificio de Tecpan, en Tlatelolco, en donde se encuentra ahora. Este mural mide 75 m^2 y está pintado a la piroxilina sobre tela, celotex y triplay. A este mural le fueron agregadas dos pequeñas esculturas policromadas de Luis Arenal.

1945

Nueva Democracia, Víctima de la guerra y *Víctima del fascismo*

Un tablero central de 54 m^2 y dos laterales (separados) de 4 x 4,6 m cada uno. Pintado a la piroxilina sobre tela y sobre celotex, en el Palacio de Bellas Artes, en México, D.F.

Inicio: 1945. Conclusión: 1966

Patricios y Patricidas

Ex aduana de Santo Domingo, en la calle República de Brasil #31, en México, D.F. Se encuentra en las paredes laterales de una bóveda de la escalera central. 400 m^2 de superficie recubierta con tela de vidrio y pintada con acrílico.

1949

Monumento al Capitán General Ignacio Allende

Escuela de Bellas Artes del ex convento de Santa Rosa en la ciudad de San Miguel Allende, Guanajuato. Sala de 17 m de largo por 7 m de ancho, con plafón abovedado. Trazado para un curso de pintura mural. Quedó interrumpido por cuestiones burocráticas. Trabajado con vinelita sobre aplanado de cemento.

1951

Cuauhtémoc redivivo y *Tormento de Cuauhtémoc*

Mural pintado para el Palacio de Bellas Artes, México, D.F. Dos tableros transportables de 8 x 5 m cada uno, pintados con piroxilina sobre celotex.

1952

El hombre, amo y no esclavo de la máquina

Instituto Politécnico Nacional, Escuela Nacional de Ciencias Biológicas. Prolongación de la Calle de Carpio en la ciudad de

México. Tablero alargado y relativamente angosto, con la parte superior cóncava de 72 m^2 de superficie. Elaborado con piroxilina sobre lámina de aluminio.

1953

Velocidad
Elaborado en la fábrica Automex, Ave. Lago Alberto #320, en la ciudad de México, D.F. Esculto-pintura realizada en la fachada del edificio y recubierta parcialmente con azulejos y mosaico de vidrio, sobre una superficie de 22,5 m^2.

1952-1954

Por una seguridad completa y al servicio de todos los mexicanos
Hospital de la Zona 1 del Instituto Mexicano del Seguro Social (Hospital de la Raza). Calzada Vallejo y Ave. Insurgentes en la ciudad de México. Vestíbulo sin ángulos rectos para evitar interrumpir la continuidad de las paredes y techo abovedado. El pintor usó la piroxilina y la vinilita sobre bastidores de celotex.

1952-1956

El pueblo a la Universidad y la Universidad al pueblo
Ciudad Universitaria, México, D.F. Relieve en un panel saliente del edificio de la Rectoría, de 304,5 m^2, realizado en cemento recubierto con mosaico de vidrio.

El derecho a la cultura
En el mismo edificio, en el lado norte. Elaborado con vinilita sobre concreto, sobre una superficie de 250 m^2.

Nuevo símbolo universitario
En el lado sur del mismo edificio se levanta este mural de 150 m^2, también elaborado con vinilita sobre concreto.

1953

Excomunión y fusilamiento de Hidalgo
Universidad Nicolatia en la ciudad de Morelia, Michoacán. Elaborado sobre un tablero transportable de 16 m², con la técnica de piroxilina sobre masonite.

1958

Apología de la futura victoria de la ciencia médica sobre el cáncer
Pabellón de Oncología del Centro Médico. Calle Baja California y Ave. Cuauhtémoc, México, D.F. Ubicado en el vestíbulo de 70 m² y pintado con acrílico sobre tela plástica y triplay.

1957-1966

Del Porfiriato a la Revolución o La Revolución contra la dictadura porfirista
Museo Nacional de Historia, castillo de Chapultepec, México, D.F. Ubicado en una sala con dos pequeños muros —perpendiculares a las paredes frontales—, cuyos murales cubren una superficie de 419 m². Pintado con acrílico sobre tela y vidrio sobre celotex y triplay.

1958-1959

El arte escénico en la vida social de México
Ubicado en el vestíbulo del teatro Jorge Negrete, Edificio de la Asociación Nacional de Actores. Calle Altamirano #128. Elaborado con acrílico sobre tela de vidrio y ésta sobre triplay.

1965-1971

La marcha de la Humanidad

Polyforum Cultural Siqueiros. Calle Insurgentes Sur y Filadelfia, antiguo parque de Lama, en la ciudad de México. La parte interior está conformada por setenta y dos tableros de asbesto-cemento reforzados con bastidores angulares de hierro. Las esculto-pinturas fueron realizadas con láminas de acero troqueladas, moldeadas y soldadas. El exterior en forma dodecagonal fue revestido con lámina de asbesto-cemento y pintado con acrílicos, sobre una superficie de 2.166 m^2.

Homenaje a Diego Rivera, José Clemente Orozco, José Guadalupe Posada, Leopoldo Méndez y Dr. Atl; cinco retratos de 4,6 m de altura en el muro-barda que une a la Avenida Insurgentes con Filadelfia, esculto-pintura realizada sobre láminas de acero y asbesto-cemento.

Cronología rápida de la vida de Siqueiros

1896   Nace el 29 de diciembre en Santa Rosalía, hoy Ciudad Camargo, Chihuahua.

1911   Ingresa como alumno supernumerario en la Academia de San Carlos, hoy Escuela Nacional de Artes Plásticas. Participa en la huelga estudiantil en contra de los antiguos métodos académicos. Al mismo tiempo toma clases en la Escuela Nacional Preparatoria.

1913   Toma clases en la Escuela al Aire Libre de Santa Anita. Se incorpora a las fuerzas revolucionarias que dirigía Venustiano Carranza. Cuatro años después alcanza el grado de capitán segundo en el Estado Mayor del general Manuel M. Diéguez.

1918   Se relaciona con el Centro Bohemio de Guadalajara, agrupación artística y taller donde se sostuvieron discusiones sobre la forma y función del arte que surgiera de la Revolución.

1919   Se casa con Graciela Amador, viaja a Europa con un nombramiento diplomático militar. Originalmente fue a París, pero su destino cambió y se dirigió a Barcelona. La intención del viaje es involucrarse en el mundo artístico europeo.

1921   Publica el primer número de la revista *Vida Americana* en Barcelona y firma el artículo «Tres llamamientos de orientación actual a los pintores y escultores de la nueva generación americana».

1922   A instancias de José Vasconcelos, secretario de Educación Pública, regresa a México para unirse al que posteriormente fue llamado el Movimiento Muralista Mexicano. Pinta su primer mural en el ex Colegio de San Ildefonso.

1923   Ingresa en el Partido Comunista Mexicano. Es miembro fundador y secretario general del Sindicato de Obreros, Técnicos, Pintores y Escultores.

1924   Crea, junto con Diego Rivera y Xavier Guerrero, el periódico *El Machete*.

1925   Es nombrado presidente de la *Liga Antiimperialista de las Américas*.

1926-1929   Se dedica a la actividad política y sindical. Conoce a la poetisa uruguaya Blanca Luz Brum, quien sería su segunda esposa.

1930-1931   Es expulsado del Partido Comunista Mexicano por indisciplina. Es aprehendido y recluido por seis meses en la penitenciaría de la ciudad de

México y después arraigado en Taxco, Guerrero, donde realiza obra pictórica.

1932   Expone su obra en el Casino Español de la ciudad de México. Viola el arraigo en Taxco, por lo que recibe la sugerencia de abandonar el país. Viaja a Estados Unidos, se dedica a la actividad mural y conoce a Angélica Arenal.

1933   Llega a Montevideo, Uruguay, donde utiliza por primera vez el duco o piroxilina para pintar su obra *Víctima proletaria*.

1936   Establece en Nueva York su Taller Experimental y Laboratorio de Técnicas Modernas en el Arte, donde descubre el «accidente controlado» en la pintura.

1937   Viaja a España para incorporarse al Ejército Popular Español. Comanda las Brigadas 46, 52, 82 y 88. Alcanza el grado de teniente coronel de la 29 división. Se casa con Angélica Arenal.

1940   Regresa a México. Participa en el asalto a la casa de León Trotsky el 24 de mayo. Es aprehendido y sometido a juicio. Ayudado por el poeta Pablo Neruda logra viajar a Chile.

1943   Lanza el manifiesto *En la guerra arte de guerra* y anuncia su gira por toda América en favor de la producción de un arte de guerra. Recorre Perú, Ecuador, Colombia, Panáma y llega a Cuba para constituir el Comité Continental de Arte para la Victoria.

1944   Regresa a México y funda el Centro de Arte Realista Moderno.

1945   Publica *No hay más ruta que la nuestra*. Promueve la creación del Taller de Ensayo de Pintura y Materiales Plásticos en el Instituto Politécnico Nacional.

1951   Recibe el segundo premio para artistas extranjeros en la XXV Bienal de Venecia. Publica *Cómo se pinta un mural* y crea la revista *Arte Público*.

1955   Viaja a Polonia y a la ex Unión Soviética. Escribe *Carta abierta a los pintores, escultores y grabadores*.

1960   Viaja a Cuba y Venezuela. Publica *La historia de una insidia. ¿Quiénes son los traidores a la patria? Mi respuesta*. Es aprehendido el 9 de agosto acusado de disolución social y recluido en la cárcel de Lecumberri.

1964   El 13 de julio sale de prisión por un indulto del gobierno mexicano, cuyo sustento jurídico señala que todo mexicano que haya prestado importantes servicios a la nación puede quedar libre al cumplir la mitad de su condena.

1966   Recibe el Premio Nacional de las Artes en la categoría de artes plásticas.

1967   Es invitado a la ex Unión Soviética a la celebración del cincuentenario de la Revolución de Octubre. Se le otorga el Premio Lenin por la Paz. Publica el mensaje *A un joven pintor mexicano*.

1968   Por decreto presidencial se funda la Academia de las Artes, siendo Siqueiros su primer miembro.

1969   Inaugura en su casa de la colonia Polanco la Sala de Arte Público, que posteriormente llevaría su nombre.

1973   Viaja a la URSS y le diagnostican cáncer.

1974   Muere el 6 de enero en su casa de Cuernavaca, Morelos. Es sepultado en la Rotonda de los Hombres Ilustres.

Bibliografía consultada

Alfaro Siqueiros, David; *Siqueiros, México,* SEP, 1974. Introducción y selección de textos por Rafael Carrillo Azpetia.

Alfaro Siqueiros, David; *Me llamaban el coronelazo.* México, Grijalbo, 1977.

Brenner, Anita; *Idolos tras los altares.* México, Domés, 1983.

Cumberland, Charles; *La revolución mexicana. Los años constitucionalistas.* México, Fondo de Cultura Económica, 1975.

Harten, Jürgen; *Siqueiros/Pollock, Pollock/Siqueiros.* México, Instituto Nacional de Bellas Artes y Kunsthalle Düsseldorf Dumond, 1995. Traducc. Virginia Cutrufelli.

Herner, Irene (coordinadora); *Siqueiros: en el lugar de la utopía.* México, Instituto Nacional de Bellas Artes, 1994.

Krauze, Enrique; *Siglo de caudillos, biografía política de México (1810-1910).* México, Tusquets Editores, 1994.

Rodríguez, Antonio; *David Alfaro Siqueiros: Pintura mural.* México, Banco Nacional de Comercio Exterior S.N.C. 1992

Scherer García, Julio; *La piel y la entraña (Siqueiros).* México, Editorial Era, 1974.

SEMO, Enrique (coordinador); *México, un pueblo en la Historia.* Tomos 3, 4, 5, 6 y 7. México, Alianza editorial, 1991.

SILVA HERZOG, Jesús; *Breve Historia de la Revolución mexicana.* México, FCE, 2000

TIBOL, Raquel; *Historia general del Arte Mexicano,* Tomo VI. México, editorial Hermes, 1964.

VELASCO, José María; *Cinco grandes de la pintura.* México, Ed. Promexa, 1980.

ÍNDICE

185

TÍTULOS PUBLICADOS EN ESTA COLECCIÓN

SALMA HAYEK Vicente Fernández	**GUADALUPE VICTORIA** Francisco Caudet
SOR JUANA INÉS DE LA CRUZ Juan M. Galaviz	**JORGE NEGRETE** Luis Carlos Buraya
JOSÉ VASCONCELOS Juan Gallardo Muñoz	**NEZAHUALCOYOTL** Tania Mena
VICENTE GUERRERO Jorge Armendáriz	**IGNACIO ZARAGOZA** Alfonso Hurtado